Consuminderen met kinderen

Dit boek verschijnt onder de imprint SimplifyLife.
SimplifyLife is onderdeel van:
Forte Uitgevers BV
Postbus 684
3740 AP Baarn

Projectbegeleiding en eindredactie: Ilse Ariëns
Vormgeving omslag en binnenwerk: Heleen van der Sanden, Quadro VOF, Oss
Omslagillustratie: Hiyoko Imai
Illustraties binnenwerk: AmpieB
Interviews en foto's daarbij : Roos van der Sanden
Daarnaast kiekjes uit Henselmans familiealbums

ISBN 978 94 6250 033 4
NUR 450

Meer informatie
Over de boeken van SimplifyLife en Forte Uitgevers:
simplifylife.nl en forteuitgevers.nl
Over de Genoeg-reeks en het tijdschrift Genoeg:
genoeg.nl/genoegreeks en genoeg.nl

Eerste druk maart 1999
Vijfde feestelijke herziene en aangevulde druk, oktober 2014

Marieke Henselmans

Consuminderen met kinderen

Wat geef je ze mee?

SimplifyLife

Boeken in de ***Genoeg*-reeks** staan vol informatie en inspiratie voor iedereen die meer wil doen met minder. De reeks wordt gemaakt door redactie en medewerkers van het tijdschrift *Genoeg*, in samenwerking met Forte Uitgevers. Het tijdschrift gaat net als de *Genoeg*-reeks over rijk leven met weinig, eerlijk delen, kritisch kiezen, vrolijk besparen en zelf dingen maken. Meer informatie over het blad of de *Genoeg*-reeks? Kijk op genoeg.nl of op genoeg.nl/genoegreeks.

Redactie *Genoeg*-reeks
Martin van der Gaag, Frieda Pruim, Heleen van der Sanden

In de *Genoeg*-reeks verscheen verder
Annemiek van Deursen, *De eerlijke moestuin. 12 maanden duurzaam & eenvoudig tuinieren.*
Martin van der Gaag met Thomas Volman, *De luxe van genoeg. Minder moeten en je leven vereenvoudigen.*

Inhoud

Dank!

Met speciale dank aan Wim Bot, door wie ik ging leven en schrijven
én de drie zonen Joep, Daan en Gijs, zonder wie er niets te kinderen
of te consuminderen viel.

Marieke Henselmans

Voorwoord
Gepaste trots

Toen ik in 1999 debuteerde met dit boek, kon ik niet vermoeden wat ik overhoop zou halen. Vanaf de allereerste aankondiging vroegen journalisten om een drukproef en verschenen er reacties en recensies in de media. Ook werd ik uitgenodigd te verschijnen in allerlei tv-programma's, onder andere bij wijlen Jos Brink. In die tijd was je direct 'wereldberoemd' als je een paar keer op tv was geweest. De invalshoek was steeds verschillend. In het ene artikel werd veel aandacht besteed aan de bespaartips, in het andere juist aan de overpeinzingen over opvoeden 'in tijden van overvloed'. Het was niet moeilijk om *Consuminderen met kinderen* te schrijven, omdat alles rechtstreeks uit de praktijk kwam. Toen ik het schreef waren mijn zonen 11, 8 en 5 jaar. Ze namen het zoals het kwam.

Het was wel spannend om het boek uit te brengen. Ik had de rotsvaste overtuiging dat het consuminderen ontzettend veel voordelen had voor het hele gezin, maar we moesten natuurlijk afwachten hoe het op de lange termijn zou uitpakken. Ik kreeg in de opvolgende jaren dan ook vaak de vraag wat de kinderen er eigenlijk van vonden 'om zo'n moeder te hebben'. Ach, onze kinderen zijn niet anders dan andere kinderen. Als ze klein zijn vinden ze je bijna onrealistisch geweldig, leuk, lief en mooi. Als ze groter worden gaan ze je zéker onrealistisch stom vinden, het ene kind iets meer dan het ander. En uiteindelijk hoop je dat hun oordeel een beetje in het midden uitkomt. De jongens zijn inmiddels 28, 25 en 22.

Besparen is een taboe, besparen op kinderen zo mogelijk

nog groter, en trots zijn op je kinderen is ook niet zoals het hoort. Ik heb die conventies (heus wel af en toe twijfelend) aan mijn laars gelapt. Ik kan inmiddels niet ontkennen dat ik soms bijna ontplof van trots. Allemachtig, wat zijn het leuke verstandige, creatieve, stoere maar toch ook gevoelige mensen geworden. Achter in het boek zie je hoe ze nu zijn: de stuurman, wetenschapper en illustrator.

En om het publiek dat steeds wil weten hoe de jongens terugkijken, heb ik dat maar eens aan henzelf gevraagd. Hun 'terugblikjes' zijn per onderwerp aan het boek toegevoegd. Het zijn echt geen Noord-Koreaanse steunbetuigingen geworden; de jongens zijn in hun opvattingen heel verschillend en vooral zichzelf geworden.

Het consuminderen heeft ons een vermogen bespaard. Geld dat vooral ten goede is gekomen aan de kinderen zelf. Elke sport, elke zinnige hobby kon gesponsord worden, ze haalden hun rijbewijs, en bij het kiezen van een studie hoefden ze niet op het prijskaartje te letten. Ook hoeft er niet geleend bij DUO, en evenmin hoeft de studie te lijden onder een overmaat van baantjes. Mijn innige wens dat ze de deur uit zouden gaan met een gezond gebit zonder gaatjes en met een slank en gezond lichaam is ook al vervuld. Heeft consuminderen met kinderen dan helemaal geen nadelen? Volgens mij niet.

Als het alweer zo veel jaren geleden is dat de basis voor dit boekje werd gelegd, is het dan niet hopeloos verouderd? Dat blijkt uitgerekend bij dit boekje mee te vallen. Technische zaken (computer, mobiel), en nieuwe maatschappelijke ontwikkelingen (leen- en deelsites): dat soort dingen zijn aangepast. Ook zijn kiekjes uit onze fotoalbums toegevoegd. Daarnaast zijn er nog andere 'consumindergezinnen' geportretteerd door Roos van der Sanden.

Ik heb ervoor gekozen het verhaal, dat indertijd in de tegenwoordige tijd werd geschreven, grotendeels in die vorm te laten staan. Daarnaast is de tekst wel aan de actualiteit aangepast. Koninginnedag werd Koningsdag, en dergelijke. Soms geef ik zelf commentaar – met de kennis van nu - op wat ik toen schreef. Dat is dan duidelijk aangegeven met 'Marieke kijkt terug'.

Wat ik de lezer daarnaast nog wil meegeven is dat ik bij dat terugkijken regelmatig met (on)gepaste trots vaststel dat het gekozen beleid succes had. De lezer kan ontmoedigd raken, onder andere omdat het in het eigen gezin níet zo uitpakt. Omdat ieder kind nu eenmaal anders reageert, en lang niet alles lukt, ook al doen we nog zo ons best. Natuurlijk ging er bij ons ook wel eens iets mis, waren kinderen dwars en ikzelf ongeduldig. In dit boek heb ik vooral geboekstaafd wat er goed ging, omdat mij dat het meest inspirerend lijkt.

Ik wens iedereen veel leesplezier.

Marieke Henselmans,
Badhoevedorp, oktober 2014

NL-0522

Hoofdstuk 1

Consumeren of consuminderen?

Zodra je kinderen krijgt, weet iedereen om je heen het beter dan jij. Tot dat moment was de kans groot dat de mensen in je omgeving tevreden waren met de manier waarop je je leven inrichtte. Je vrienden denken een beetje hetzelfde als jij, daarom werden het vrienden. En je familie is meestal wel ingenomen met je, want is het familie. Maar als de kinderwens ter sprake komt, is het afgelopen met die vanzelfsprekende tevredenheid. Een deel van de vrienden is er nog lang niet aan toe en is bezorgd of jij het wel bent. En ze zijn bang dat je zult veranderen in een tuttige ouder.

Er zijn nog wat zaken waar iedereen zo snel mogelijk uitsluitsel over wil. Waar ga je bevallen? En wat voor voeding gaat het worden: borst of fles? In sommige gevallen komt daar nog de vraag bij: ga je een punctie laten doen? En niet te vergeten: hoeveel uur blijf je werken? Wordt het crèche of oppas thuis? Een nanny of de granny? De wereld verdeelt zich in kampen. Elke vraagsteller ziet het liefst dat je dezelfde keuzes maakt als hij of zij. En de zwangere, toch al wat huilerig door de rondkolkende hormonen, zou het liefst iedereen te vriend houden. Een kind kan bedenken dat dit onmogelijk is. Maar het kind hoeft nog niet te denken, het zit veilig in de buik af te wachten wat het worden gaat: één of twee ouders, van verschillend of gelijk geslacht, verliefd of in de problemen, ziekenhuis of

↖ Een huis van karton. Zie het interview op pagina 25.

thuisbevalling, borst of fles, sandaal of muntschoen, koop- of huurhuis, een babykamer van tienduizend euro of meer, of een creatief bij elkaar gescharreld opgeverfd tweedehands boedeltje.

Toen ik in het kraambed lag van de oudste zoon kreeg ik bezoek van een geleerde vriend uit het kamp van 'je wordt toch geen tuttige ouder die de bel af gaat zetten als de baby slaapt?' Van de visite herinner ik me alleen dat hij een trendy sigaartje opstak in die kleine kamer waar m'n zoontje in zijn opgeschilderde wiegje lag, vlak naast mijn bed. Ik wilde zijn zorgen over mijn tuttigheid niet voeden, dus zweeg ik maar over het roken, hoewel ik me nerveus afvroeg of sigarenrook de longetjes van een achtenveertig uur oude baby blijvend zouden kunnen beschadigen. De vriend was gelukkig tevreden en stak in zijn gemoedelijkheid nog maar een tweede sigaartje op. Tegen jonge lezers die nu verontwaardigd rood aanlopen, wil ik meegeven dat deze scène zich afspeelde in 1986, de tijd dat het volkomen fout was om tegen roken binnenshuis te zijn. Er werd toen nog overal gerookt, op het werk, op school, in winkels, ziekenhuizen, waar niet eigenlijk. Maar terug naar de visite. Direct na de geleerde vriend kwam er een vriendin die zich verontwaardigd afvroeg wat voor moeder ik was, dat ik bij een zo jonge baby een rookvergiftiging riskeerde. In één ogenblik begreep ik dat er dus altijd iemand boos op je is, wat je ook kiest. En dat je dus maar beter kan doen wat je hart je ingeeft. Ik had de sigarenroker vriendelijk maar beslist moeten vragen om het roken even uit te stellen, en zijn oordeel over mij maar voor lief moeten nemen. Sindsdien heb ik me aan dit uitgangspunt vastgehouden. Als ik me boosheid, hoon of afkeuring

Wat is 'ie lief

van mensen op de hals haalde, vroeg ik me af wie ik op mijn dak had gekregen als ik het ánders had gedaan. Uiteindelijk blijft een clubje vrienden over dat ongeveer dezelfde keuzes maakt, of vrede heeft met je andere keuze.

Luchtig doen over kinderen opvoeden is vrijwel onmogelijk. De eisen van werk en privéleven worden steeds hoger. Op de vraag: 'Wat doe je?', moet je een ambitieus en origineel antwoord kunnen geven. Ook in de liefde, de zorg, de huishouding, opvoeding en de vrije tijd moet je presteren. Je weet nooit zeker of je het economische en maatschappelijk goed doet. Liggend in mijn kraambed ging ik een stapje verder: het enige wat je zeker weet is dat je het fout doet. Waarom zou je dan niet gewoon dat doen waar je zelf het meeste zin in hebt?

Minder werken?

Hier komt de factor geld om de hoek kijken. Doen waar je zin in hebt? De schoorsteen moet wel roken. Stel: je zou minder willen werken, maar je hebt het idee dat het financieel niet haalbaar is. Juist nu er kinderen zijn of komen. Want kinderen zijn duur, roept iedereen. Ik beweer dat het grootbrengen van kinderen niet duur hoeft te zijn. Dit boek laat zien dat het voordeliger kan. Dat de leukste dingen gratis zijn. Dat je meer keuzes kunt maken als je minder geld nodig hebt. Dat er ouders zijn, stellen en alleenstaanden, die het fantastisch doen met een minimaal inkomen. Die hun kinderen omringen met creativiteit, vindingrijkheid, liefde en gezelligheid.

Tijdens de lezingen die ik over dit onderwerp geef, blijkt dat het onderwerp 'geld' iedereen raakt, en al helemaal als het over kinderen gaat. Er zijn mensen die boos zijn op de maatschappij die hun te weinig kansen heeft gegeven. Er zijn gekwetste vrouwen die vrezen dat hun ex de liefde van de kinderen met dure cadeaus probeert te kopen, terwijl zijzelf er in inkomen enorm op achteruit zijn gegaan. Er zijn mensen die te kampen kregen met tegenslagen. Voor henzelf nog wel te accepteren en te verwerken, maar de kinderen! Hoe moet het met hun toekomst? In mijn boeken en tijdens lezingen probeer ik mensen te doordringen van de waarde van hun gezelschap, aandacht en liefde. Bovendien krijgen de deelnemers en lezers een bombardement aan besparingstips.

En dan blijkt dat eigenlijk iedereen probeert te besparen. Om uit de problemen te komen, omdat het meer vrijheid geeft, omdat het beter is voor het milieu, omdat het gezonder is. Maar het taboe is hardnekkig! Als mensen tijdens zo'n lezing hun gereserveerdheid laten varen, beginnen de sterke verhalen los te komen, de slimme mogelijkheden, de tips over afgeprijsde merkkleding en gratis uitstapjes, de voldoening, de trots en soms ook de tranen. Op elke lezing hoor ik tips die ik nog niet ken. Ook op mijn boeken en artikelen krijg ik veel reacties. Iemand mailde: 'Het gevoel van armoede is weg, het gevoel van altijd tekort te komen...' Met dat bericht voelde ik me rijk en blij.

'Over mijn lijk!'

Er zijn hardnekkige stoorzenders die het vrijuit nadenken over en toepassen van besparingstips in de weg staan. De hiervoor beschreven behoefte om bij het juiste kamp te horen is er één van. Een diep en vaak onterecht schuldgevoel van ouders tegenover kinderen is een andere belangrijke. De behoefte van ouders om hun kinderen gelukkig te maken is een ingewikkelde factor, evenals de onstuitbare behoefte alle leed weg te saneren. Het geven van eenvoudige troost verwarren we vaak met het aanbieden van materiële zaken. Verderop in dit hoofdstuk nemen we het schuldgevoel en de troostbehoefte onder de loep. Maar eerst wil ik kijken naar andere barrières die de beginnende consuminderaar kan tegenkomen.

Het grootste en lastigste misverstand is het idee dat als je wilt besparen, je dat ook op alle denkbare terreinen van het leven zou moeten doen. Dat het huichelachtig zou zijn om het woord consuminderen in de mond te nemen terwijl je een wasdroger of een jacuzzi hebt staan. Dat je eerst maar eens moet afzien van die vliegvakantie, die nieuwe laptop en die dure blouse, voor je geloofwaardig bent. Maar er bestaat geen catechismus van de zuinigheid, er zijn geen tien geboden voor de vrek, geen handvest van politiek correcte spaarzaamheid. De werkelijkheid is, zoals altijd, veel genuanceerder. De een die zichzelf spaarzaam noemt, speurt naar voordelig voedsel en weert alle snoep, maar spaart voor een verre vliegreis naar geëmigreerde familie. De ander besteedt meer dan de gemiddelde Nederlander aan biologisch verantwoord voedsel, terwijl ze moet leven van een uitkering, en weet dit te realiseren door nagenoeg geen stuiver aan kleding te besteden. Die krijgt ze cadeau of zoekt ze op rommelmarkten bij elkaar.

Leg aan consuminderaars een aantal vragen voor, zoals: 'Ben je spaarzaam of creatief op het gebied van voeding, kleding, cadeaus, hobby's, energie, water, uitgaan, reizen, vervoer, wonen, boeken, huishoudelijke apparaten, computers, toiletartikelen, abonnementen op kranten en tijdschriften, lidmaatschappen van verenigingen, donaties aan goede doelen?' Niet twee van de lijstjes zullen identiek zijn. Iedereen geeft zijn spaarzaamheid of creativiteit anders vorm, iedereen heeft andere prioriteiten en stelt andere doelen. Bovendien heeft iedereen eigen beperkingen. Het maakt nogal uit of je een huur- of koopwoning hebt, en of je al dan niet in het bezit bent van een balkon of tuin. Om het maar niet te hebben over het verschil tussen gezegend zijn met een goede gezondheid of moeten leven met allergieën, ziekten, werkloosheid of andere handicaps.

Ook bij bezoekers van lezingen leeft dit misverstand. 'Maar ik ga niet in de kou zitten hoor!', roepen mensen bijna met de deurknop nog in de hand. 'Ik ga niet besparen op eten, en ik wil altijd een bloemetje op tafel!' Deze ongeruste bezoekers en lezers kan ik à la minute geruststellen. Er staat nergens geschreven dat de besparingsgedachte in haar geheel omarmd dient te worden. In al mijn columns en boeken roep ik lezers op hun eigen bestedingspatroon te onderzoeken en te bekijken op welke punten zij zelf veranderingen willen doorvoeren. De één zegt: 'Ik blijk buitensporig veel uit te geven aan lunches buiten de deur.' De ander meldt: 'Ik geef veel uit aan cadeautjes en kom zo nooit toe aan eens iets leuks voor mezelf.' Dat soort dingen te ontdekken is al een hele vooruitgang. Want veel mensen weten alleen dat er meer geld uit gaat dan erin komt, staan iedere maand rood, en hebben geen notie van de oorzaak.

Als je een besparingsidee te horen krijgt, zijn er drie mogelijke reacties. De eerste reactie is: 'Dat nooit! De tweede mogelijkheid is dat je zegt: 'Leuk, ga ik onmiddellijk toepassen.' Op de lezingen heb ik nog nooit één enkele tip kunnen lanceren waarop álle luisteraars unaniem zo reageerden. Altijd zijn er mensen die op grond van hun overtuiging, gezondheid, geschiedenis of zomaar uit ergernis de tip afwijzen. Ze hebben daarbij het idee dat zij dit met goede redenen moeten omkleden. Dat hoeft dus niet. Je kiest zelf de punten waarop je je financiële gedrag wilt veranderen. Het gaat tenslotte om je eigen geld. Dat jij iets wel of niet wilt, is reden genoeg.

Toch is er een derde mogelijke reactie die er tussenin zit. Je kunt besparingstips ook uitproberen, ze een kans geven. Uiteraard met de volledige vrijheid ze daarna alsnog af te wijzen. Er is altijd een weg terug. Voel je je miezerig en armzalig door een bepaalde besparingstip toe te passen, dan ga je gewoon weer terug naar het oude patroon. Grote kans dat je daarvan voortaan bewuster geniet. Valt je reactie je mee? Of ga je de tip half toepassen? Een vrouw vertelde dat je houding ook gaandeweg kan veranderen. Ze had zichzelf een belangrijk doel gesteld: ze wilde na haar schulden afgelost te hebben een kind in een ontwikkelingsland gaan sponsoren. Ze merkte dat ze daardoor bereid was tips uit te proberen waarvan ze vroeger dacht: dat nooit! De reactie is dus ook afhankelijk van het besparingsdoel.

En dan is er nog een extra barrière. Jezelf beperkingen opleggen is je eigen zaak. Het heeft nog wel iets nobels of desnoods excentrieks om het in je eentje uitstekend te kunnen redden met weinig geld. Lastiger wordt het als je besparingen anderen gaan treffen. Huisdieren bijvoorbeeld. Ooit plaatsten we in *Genoeg*, het blad voor consuminderaars, een oproep over besparen op je huisdier. Welk besparing levert het meeste plezier op? En hoe voordelig kan het zijn? Er kwamen zeer veel reacties binnen. Lezers gaven bijvoorbeeld de tip kranten in de kattenbak te leggen in plaats van kattengrit, zelf gekookte groente door het hondenvoer te mengen, of papiersnippers te gebruiken in de hamsterkooi. En steevast was er uitdrukkelijk bij vermeld dat de dieren geen last hadden van deze besparingen, dat zij er integendeel juist een leuker, beter of gezonder leven door hadden. Alsof wij twijfelden aan de dierenliefde van de briefschrijvers. Huisdieren zijn afhankelijk van ons. Je draagt verantwoordelijkheid voor ze, waardoor het anders voelt dan bij besparingen die uitsluitend jezelf betreffen.

Bij kinderen is die verantwoordelijkheid nog groter. Je wilt alles voor ze doen wat in je vermogen ligt. Dat is uiteraard ook míjn uitgangspunt. Maar als ik wil praten over besparingsmogelijkheden die met kinderen te maken hebben, lijkt het voor sommige mensen dat ik torn aan dit uitgangspunt. Je wilt toch het beste voor je kind? Natuurlijk wil je het beste voor je kind. Maar is dat ook het duurste?

Schuldgevoel, duur gevoel

In een tv-programma was eens een trendwatcher aan het woord. De trend die hij signaleerde was dat de merkkleding oprukt en wordt aangeschaft voor steeds jongere kinderen. Het blijkt dat de ongeveer dertig jaar oude ouder zelf steeds minder merkkleding gaat dragen, maar dit vertoon van rijkdom en status verplaatst naar de kinderen. Beroemde modeontwerpers haken hierop in en ontwerpen jurkjes voor vierjarige meisjes die zo'n € 180,- moeten kosten. Een complete outfit kost al snel € 450,-. De presentator van het tv-programma zat er hoofdschuddend bij. 'Dat maak je toch zo van een lapje van de markt?' zei ze. De trendwatcher wist dat het niet alleen gaat om geld en status. 'Ouders voelen zich ook schuldig', stelde hij. 'Ze zijn veel weg en aan het werk, maar met hun aankoop laten ze zien dat ze toch het beste met hun kinderen voorhebben.'

Bij lezingen legde ik het publiek weleens een lijst voor met een tiental vragen over dat schuldgevoel van ouders ten opzichte van hun kinderen. Een deel van de vragen richt zich op het onderwerp: doe ik wel genoeg? In materieel opzicht: hebben ze wel genoeg leuke en mooie spullen? En in niet materieel opzicht: geef ik wel genoeg aandacht, liefde en tijd? Een ander deel richt zich op de vraag: doe ik niet te veel? Verwen ik mijn kinderen niet te veel, is het wel goed voor ze om zoveel te krijgen? Je zou zeggen dat het ene gevoel het andere uitsluit. Je bent bang dat je óf te weinig doet óf te veel. Maar kennelijk ligt het niet zo makkelijk. Uit de antwoorden van de ouders blijkt dat ze het klaarspelen zich schuldig te voelen omdat ze te weinig zouden doen, en dat ze vaak tegelijkertijd twijfelen of ze niet te veel doen.

Bij de afdeling 'Komen onze kinderen niet tekort?' vraag ik mensen daar thuis eens diep over na te denken. Hebben andere kinderen meer speelgoed? Duurder speelgoed? Mooiere kleren? Of hebben andere kinderen ánder speelgoed? Krijgen je kinderen genoeg aandacht? Of zou je eigenlijk meer tijd aan ze willen besteden? Kortom, stemmen deze vage gevoelens overeen met de feiten? En de belangrijkste vraag: is het schuldgevoel terecht? Concludeer je in alle gemoedsrust dat je kinderen voldoende speelgoed, boeken, kleding en spullen hebben, dan kun je dat voor jezelf eens vastleggen: op dit terrein komen ze absoluut niet tekort. Maar de tijd en de aandacht, zijn we daar ook zo zeker van? Sommige ouders geven aan inderdaad meer tijd met hun kinderen te willen doorbrengen. Met meer geduld met ze te willen omgaan. Sommige ouders hebben continu een vaag maar diep schuldgevoel over een scheiding en het verdriet dat daardoor in het leven van de kinderen is gekomen.

Verdriet uitbannen kan niet, een scheiding terugdraaien evenmin. De gemene truc die schuldgevoel met ons uithaalt is de volgende. Diep in de buidel tasten om die gewenste computer te kopen kan wél. Of een ijsje of een trui, en een zoen en de tv mag aan. En nu moet ik gaan werken om die computer te betalen. Tegelijk voelen we diep in ons hart dat hier iets niet klopt. Het terechte verdriet en daarmee gepaard gaande schuldgevoel op het ene terrein compenseren we met uitgaven aan materiële zaken; het terrein waarvan we na zorgvuldige beschouwing nou juist hadden vastgesteld dat we daarop niét tekort schoten. Nu doen we dus te veel op materieel gebied. Dat heet verwennen en dat is heel verkeerd, houdt iedereen ons voor. Zo is de cirkel rond. We verwennen ze materieel en hebben te weinig tijd en ruimte om echt met ze bezig te zijn. Wat vinden kinderen hiervan?

Als je na diep nadenken tot de conclusie komt dat enig schuldgevoel terecht is, dat je bijvoorbeeld eigenlijk anders met je kinderen om wilt gaan, of meer tijd voor ze wilt hebben, zou je deze knagende gevoelens eens kunnen uitwerken op papier en een plan bedenken om je leven een tikje anders in te richten. Wat houdt je tegen? Wie houdt je tegen? Ben je zoveel financiële verplichtingen aangegaan dat je niet minder kunt werken? Bedenk dat er veel kosten zijn die je alleen maakt omdát je zoveel werkt. Dat soort cirkelredeneringen zijn te doorbreken, het maakt niet uit waar je begint.

Als je denkt dat je je terecht schuldig voelt over het verdriet dat in het leven van de kinderen is gekomen, valt het te overwegen hier met de kinderen over te spreken. Misschien je spijt te betuigen. Je zou kunnen vragen of het klopt dat ze je iets kwalijk nemen. Misschien is dat helemaal niet zo. Misschien vinden ze de gang van zaken wel jammer of noodlottig, maar de gekozen weg de minst slechte. Ik heb gehoord dat kinderen tegen hun, zich schuldig voelende, moeder zeiden: 'In jouw geval had ik hetzelfde gedaan.'

We hebben het goed

En als je na veel gepieker concludeert dat je het zo slecht nog niet doet, afgezien van enkele onvermijdelijke uitglijders, leg dat dan vast voor jezelf. Schrijf het op en lees het als de koopdrift weer toeslaat. Bestempel een leuke foto tot symbool van het feit dat we het fijn hebben met elkaar. Komen er dure wensen op: werp een blik op de foto. We hebben het goed, ook zonder nieuwe broek of wereldreis.

Troost te koop

Als kind zat ik op volksdansles bij een actieve buurtvereniging. De dansleraar, op wie wij meisjes zonder uitzondering verliefd waren, was een goede leraar omdat hij het volksdansen zeer aanstekelijk voor kon doen. En vooral omdat hij zo overtuigend demonstreerde hoe het niet moest. Hij maakte zijn rug koddig krom, liet zijn voeten haaks op zijn benen stappen, keek al dansend met een bezorgd gezicht naar beneden. Het was meteen overduidelijk: zo dus niet dansen dames!

Over troosten kan ik ook wat kromme ruggen en scheve voeten tonen. Op de middelbare school kreeg ik mijn hand eens tussen de scharnierende kant van een deur. Ik gilde het uit. Dit soort pijn en de opkomende bloedblaar waren nieuw voor me. De leraar kwam, van voor de klas, rustig naar me toelopen en gaf -volkomen onverwacht- een klinkende klap in m'n gezicht. Zijn inspiratie had hij mogelijk opgedaan in een goedkope B-film. Daar lopen de macho's die wel weten hoe ze met hysterische vrouwen of huilende meisje moeten omgaan. Gewoon knal! Zo had ik binnen tien seconden drie nieuwe pijnervaringen op mijn lijstje. De bloedblaar, de klap in het gezicht en de pijn in het hart die optreedt bij een onrechtvaardige behandeling.

De reactie van de leraar is een extreme uitdrukking van het gevoel dat zich van ons meester maakt. 'Help! Verdriet, pijn, lawaai. Wat nu? Weg ermee!' De geluidsoverlast proberen we te bestrijden door 'Stil maar, stil maar!' te zeggen en slokjes water en snoep aan te bieden. Wie drinkt, kan niet gillen, wie zijn mond vol snoep heeft kan niet huilen. Om daarna van de rest van het verdriet af te komen bagatelliseren we het voorval. Het viel wel mee. Het had erger gekund. Weet je wat pas erg is. Je moet maar zo denken...'

Als het voorval zo ernstig is dat bagatelliseren niet kan, komen er grote cadeaus op tafel. Zo zag ik Willibrord Frequin zich op tv eens (lang geleden) verdiepen in een paar jonge kinderen die hun ouders verloren hadden door een ongeluk. Een ondeelbaar ogenblik meende ik dat het de commerciële omroep gelukt was de dode ouders uit het hiernamaals terug te halen en dat ik getuige zou worden van de hereniging. Nee, de 'second-best' oplossing kregen we te zien. De kinderen moesten met de presentator mee naar de speelgoedwinkel en mochten uitzoeken wat ze wilden. Hoewel er tranentrekkende muziek speelde, wilde het programma maar niet ontroeren. De grootouders die nu voor de kinderen zorgden, kregen een reis aangeboden 'om alles eens even te vergeten'. Tijdens die reis zou Willibrord persoonlijk voor de kinderen zorgen. Mits ze voor de camera nog iets wilden zeggen over hoe het nu voelde om geen ouders meer te hebben.

Zo leren we dus van jongs af een paar dingen. Ten eerste: huil zo min mogelijk. Ten tweede: bij verdriet of ongemak kan men het beste een slokje water nemen en een snoepje. Of een patatje. Of een glaasje whisky. Of een winkel vol speelgoed. Of een auto. Zou een deel van ons consumptiepatroon hier zijn oorsprong vinden? Kopen wij om anderen of onszelf te troosten?

Hoe zou het anders kunnen? Heel eenvoudig: laat huilenden huilen, en neem ze serieus. Ik zag ooit mijn zoontje met een beer rondlopen. Hij speelde dat de beer verdrietig was, en dat hij hem troostte. 'Och, och, och, och', fluisterde hij, de beer wiegend. Een tekst die niet te verbeteren is, denk ik. Geen oordeel, geen haast, geen afdingen.

Ik kon op een niet uit te leggen manier genieten van het snoeiharde huilen van onze jongste oogappel. Die haalde eruit wat erin zat. Hij brulde, en strompelde naar zijn vader die hem goedmoedig in zijn armen tilde. 'Nou, nou, jongetje toch, waar doet het zeer?' 'Daaaaaaaaar!' brulde hij en er volgde een onverstaanbaar verhaal. Je kon het horen en aanvoelen: nog een of twee uithalen en dan zou het zachter worden. Van mijn jongste zus die leerkracht is, leerde ik de praktische kant van het kijken naar licht gewonden. Het is haar verantwoordelijkheid na te kijken of alle vingertjes er nog aan zitten en of er niets gebroken is. Zij onderzoekt het getroffen lichaamsdeel altijd zorgvuldig en controleert vooral of het nog functioneert. 'Kun je die vinger nog bewegen? Wil je eens voorzichtig in mijn hand knijpen?' Het kind volgt snikkend, maar bloedserieus alle instructies op en constateert samen met de juf 'dat alles het nog doet.' Een wat groter verband dan nodig, een mitella en het nog eens navragen hoe het nu staat met de pijn zijn ook vormen van erkenning. In elk geval

Troost

hoop ik dat er niet een automatisme ontstaat dat pijn aan het lichaam of de ziel opgelost kan worden met de methode Frequin.

Een huis van karton

Elmy (34, verpakkingsdeskundige), Fred (37, geluidstechnicus, niet op de foto), Mila (6) en Raf (3).

Elmy: "De tv staat niet vaak aan. Mila en Raf worden er erg moe van en daardoor boos en mopperig. Liever laat ik ze buiten spelen. Heerlijk in de zandbak, met een bak water erbij. Dat is altijd feest. Als het regent mogen ze met de laarzen aan en paraplu's naar buiten, dan hebben ze de grootste pret. Mijn kinderen zijn graag met hun handen bezig. Kleuren, knippen, plakken, kleien, schilderen, ze komen altijd met iets verrassends.

Ik vind het leuk om hun fantasie te laten werken. Ik geef ze bijvoorbeeld een kartonnen doos en wacht af waar ze mee komen: 'Het is een huis, een auto, een boot! We maken een raam en er moeten kussens in! Ik ga er vissen op tekenen!'

Kleine besparingen

Pas je je mening aan of neem je een eigenzinnig standpunt in? Geef je besparende ideeën een kans of denk je steeds: dat nooit? Geef je snoep en cadeautjes uit schuldgevoel en om te troosten, of wacht je tot de verjaardag? Als je je gedachten laat gaan over deze zaken zul je zien dat je direct al heel wat minder geld uitgeeft.

Maar er is nog een terrein waarop je veel kunt besparen: de optelsom van alle kleine besparingen. Wie deze besparingstip wil toepassen, stuit op een hardnekkig vooroordeel: het idee dat kleine besparingen niet uitmaken. Niets is minder waar. Bezuinigingen die op het eerste gezicht futiel lijken, blijken op termijn flink zoden aan de dijk te zetten. Dat komt doordat er zoveel van die kleine besparingen mogelijk zijn, en omdat ze meestal dagelijks terugkeren.

Een voorbeeld. Aan je kinderen die uit school komen serveer je dagelijks frisdrank of yoghurtdrink. Nu schakel je over op thee, gezet van een voordelig zakje. Je bespaart hiermee € 1,- per dag. Wat maakt dat nu uit? Per jaar maakt dat € 365,- uit en in tien jaar dus € 3.650,-. Dat is nog maar één piepkleine besparing. Een ander voorbeeld: het lunchpakketje dat je kinderen mee naar school krijgen. Vereenvoudig je van het luxepakket A naar pakket B (zoals later in dit boek uitgebreid wordt besproken), dan is dat weer zo'n 'kleine besparing' van bijna € 500,- per kind per jaar, in tien jaar dus € 5.000,-.

Andere voorbeelden zijn besparingen bij de aanschaf van kinderkleding, schoenen, voeding, snoep (zoet en hartig), schoolspullen, toiletartikelen, boeken, speelgoed, smartphone, computer, fietsen en meubels in de kinderkamer. Dit geldt ook voor de keuze van tijdschriftabonnementen, sport, clubjes, zwemles, huisdieren en de hoogte van het zakgeld. Bij elk van deze uitgaven denk je dat een kleine besparing niet veel uitmaakt. Samen maken ze een wereld van verschil. In dit boek komen al deze onderwerpen aan de orde.

Het verschil tussen een uitgavenpatroon zonder echt op geld te letten en een patroon waarbij je goed oplet, kan enorm oplopen. Je kunt ook aan de kinderen zelf vragen na te denken over besparingen waarvan zij denken weinig last te hebben. Ze komen vaak met ongelooflijk creatieve en ontroerende voorstellen. Reken uit hoeveel het scheelt per jaar, en je staat versteld van de mogelijkheden. In hoofdstuk zes is te lezen hoe je met je gezin een spaardoel kan vaststellen en hoe je, al bezuinigend, met hulp van de kinderen het geld hiervoor bij elkaar kunt sparen.

Wat hebben kinderen echt nodig?

Op cursussen probeer ik met deelnemers stil te staan bij de vraag: wat heeft een opgroeiend kind echt nodig? Al brainstormend komen we meestal tot de volgende opsomming.

Ten eerste: gezond eten. Het kind kan de behoefte aan vette happen, chips en snoep wel hebben aangeleerd, maar het lichaam vraagt vooral om eenvoudige gevarieerde maaltijden en wordt niet gezonder van alle overdaad. Het tweede dat kinderen nodig hebben valt onder het hoofdje liefde en aandacht. Dus tijd, geduld, veiligheid en een ontspannen stemming. Het derde waar geen kind zonder kan, is een eigen plek. Een bed, een bureau, plaatjes, posters, boeken, een eigen sfeertje. Een plek waar je met anderen kan spelen. Spelen, dat is de vierde behoefte. Bijvoorbeeld met een verkleedkist, gevuld met grappige lorren, een mand met hoeden en petten ernaast. Een zandbak om eindeloos in te rommelen. Daarvan leren kinderen een boel. In het verlengde van spelen ligt leren, wat ook een levensbehoefte is. Leren door voorgelezen te worden, door te zien hoe je conflicten oplost. En leren op school. Tot slot moeten kinderen kunnen bewegen, rennen, springen en schreeuwen. Het lijkt een open deur, maar als je deze dingen langsloopt, merk je dat ze niet veel geld hoeven te kosten. Gezonder én goedkoper eten? Natuurlijk is biologisch eten duurder dan normaal, maar de eerste besparing bereik je vooral door ongezonde vette happen, snoep en frisdranken gewoon niet aan te schaffen. Liefde is gratis, en de eigen plek een kwestie van sfeer. Boeken komen uit de bibliotheek en ga zo maar door.

Voorlezen

En er is nog iets: er is een groot verschil tussen zelf kiezen voor een bepaalde besparing, of ertoe gedwongen worden. Moeten is vervelend. Ergens zelf voor kiezen is een ander verhaal. Een vrouwelijke universitair docent met leuke man en twee kinderen meldde in een interview, als terloops, dat er geen televisie in het huishouden aanwezig was. Dat gaf meteen een gedeeltelijk antwoord op de vraag hoe sommige vrouwen dat toch klaarspelen: een wereldbaan, goede relatie, leuke slimme kinderen en er nog leuk uitzien ook. Waar halen ze de tijd vandaan? Het niet hebben van een tv levert gewoon meer tijd op voor andere zaken. Opvallend was dat zij geen nadruk legde op dit detail. Het nieuws vernamen zij uit kranten, de kinderen lazen veel en deden spelletjes. Bovendien was er zo meer aandacht en tijd voor elkaar. Louter winst dus. Het zelf besluiten een bepaald weelde-artikel niet (langer) nodig te hebben geeft een goed gevoel, en versterkt het idee een stevige greep op het leven te hebben.

Als in een gezin met inkomsten op bijstandsniveau de tv kapot gaat en er geen geld is voor vervanging, gebeurt het omgekeerde. Het praktische resultaat (de afwezigheid van een tv) is wel hetzelfde, maar het gevoel dat dit oproept zal eerder zijn dat men zich beroofd voelt. 'Wij kunnen ons niet eens een nieuwe tv veroorloven.' Men zal zich buitengesloten voelen en de greep op het eigen leven akelig klein vinden. Wijzen op de universitair docent die vrolijk leeft zonder tv, werkt niet. 'Die heeft er zelf voor gekozen. Wij moeten, wij hebben geen keuze.'

Als je niet wilt, dan lukt het niet. Toch kun je ook in die situatie van moeten willen maken. Het blijkt dat veel gezinnen er een 'sport' van maken, waardoor niet alleen besparingen gerealiseerd worden, maar waardoor ook het contact met de kinderen verbetert. En er is één ding dat mensen die bezuinigen uit bittere noodzaak verbindt met mensen die vrijwillig voor een soberder levensstijl kiezen: het simpele feit dat wie minder uitgeeft, meer overhoudt. Dat levert voor beiden ruimte in het budget. Ruimte voor keuzes die je vóór die tijd niet had.

Ruimte voor je eigen keuzes
Waarop wil jij besparen en wat levert je dat op?

Hoofdstuk 2

Welkom baby!

Het gemiddelde aanstaande ouderpaar krijgt aangeboden: drie boxen, een wieg, twee bedjes, een kinderstoel en een wipstoeltje. Meestal heb je deze zaken nét gekocht. Misschien had je eerder wel interesse gehad. De aanbieders op hun beurt willen plaats maken in huis en zijn blij als de spullen nog gebruikt worden. Ze hoeven er niet eens iets voor te hebben. Het lijkt op een droomtransactie. Maar waarom lopen aanbieder en vrager elkaar stelselmatig mis?

Ten eerste: de vrager vraagt niet. Maar koopt. Heel, heel lang geleden, toen je op kamers ging, kwam je nog wel eens op het idee spullen bij elkaar te scharrelen. Een vierpits-gasstel van een tante, een bank van oma die kleiner ging wonen. Toen kon je de spullen dankbaar aanvaarden. Een koelkast nam je over van een huisgenoot. Naarmate je ouder werd, kocht je steeds meer nieuw. En langzamerhand veranderde het in een patroon. Je hebt iets nodig, dus je koopt. De tweede reden waarom de droomdeal niet tot stand komt is de timing. Je krijgt zaken aangeboden nádat je ze hebt aangeschaft. Je laat trots je aankoop zien: 'Kijk, onze nieuwe commode.' Het bezoek slaat de hand voor de mond en zegt: 'Wij hebben nog een mooie op zolder staan!' Dat hoor je dus te laat.

Het komt erop aan dat je de kans moet vergroten zaken op een alternatieve manier in bezit te krijgen. Je zou dit kunnen doen door eerst een grotere greep te krijgen op de Pavlov koopreactie. Pavlov luidde een bel voordat hij zijn hond eten

↖ De familie van Kessel op de fiets. Zie het interview op pagina 46.

gaf. Na verloop van tijd reageerde het lichaam van de hond op het luiden van de bel; het produceerde speeksel, ook als er geen eten te bekennen was. Iets gaan kopen is een terechte actie als het nodig is en niet op een andere manier te verkrijgen. De reclame luidt de bel, het water loopt ons in de mond, en we hollen naar de winkel. Maar dat kan anders.

Stel je voor, je hebt een box nodig. Koop hem niet! Voor beginners kan het heel moeilijk zijn. Je leest het lijstje waarop staat wat je in huis moet hebben voor de bevalling. Koop het niet! Bij opkomende duizeligheid: gaan zitten en even het hoofd tussen de knieën houden. Je leest in een glossy tijdschrift, of zelfs Consumentenbond-tijdschrift voor jonge ouders wat er voor een trendy kinderkamer nodig is: koop het niet! Als je vreest jezelf niet te kunnen bedwingen, kun je de ademhalingstechniek gebruiken die je leerde om persweeën op te vangen. Diep in, en met korte stootjes via de mond uitademen, de laatste wat langer.

Je hebt nu de eerste stap gezet. Dat levert ruimte op, ruimte in je budget, en boven alles: tijdwinst. Met die tijdwinst geef je jezelf de kans om op een andere manier aan spullen te komen.

Maak eerst een lijst van echt noodzakelijk spullen, en laat aan alle mensen om je heen (familie, collega's, buren) weten waar je naar op zoek bent. Dat kan via Facebook, Twitter, email, of helemaal oldschool door een briefje op een prikbord op je werk te hangen. Niet alleen familie en vrienden krijgen nu de kans zich te melden. Als je rustig op onderzoek uit gaat, zal blijken dat veel artikelen van jouw keuze in bepaalde winkels een stuk goedkoper zijn. Heeft de Consumentenbond onderzoek gedaan naar de zaken die je zoekt? Heel vaak is dat het geval. En die beste koop, waartoe je je misschien laat overhalen, die stond laatst aangeboden op zo'n kinderkledingbeurs. Voor € 20,- in plaats van € 200,-, zag er nog pico bello uit. Die vrouw met wie je op zwangerschapsyoga zit, die al voor haar derde kind gaat, weet wel waar die beurs plaatsvindt. En ook waar het tweedehands winkeltje zit dat heel veel kinderkleding heeft. En als je iets bij het Leger des Heils of de Emmauswinkel zou kopen, steun je nog een goed doel ook.

Maar misschien ga ik nu te snel voor degenen die in gedachten nog in die dure babyzaak rondhangen. Je kunt beginnen met rondvragen bij vrienden en familie, rondkijken op Marktplaats.nl of op www.gratisoptehalen.nl. Je kunt eens naar een rommelmarkt gaan of naar de vrijmarkt op Koningsdag. Je kunt besluiten dingen zelf te maken, ruilen, of kopen in een Lets-systeem van plaatselijke ruilhandel. Je kunt dingen lenen, huren of winnen in een prijsvraag. Mensen die ervaring hebben in het bij elkaar scharrelen van spullen zullen bevestigen dat niet kopen en afwachten soms genoeg is. Dat je dingen dan krijgt, of dat ze bij de vuilnis staan. Ook komen ze wel aanwaaien, uit de lucht vallen of zomaar naar je toe.

Toen ik als twintiger als wijkverpleegkundige werkte, kwam ik bij de mensen op huisbezoek als zij pas een baby hadden gekregen. Strijk en zet werd ik meegetrokken naar de babykamer, niet alleen om het kind te tonen, maar vooral ook het kamertje. Ik was ontroerd door de inzet, en soms bijna in tranen om het nodeloos uitgegeven vermogen. Het leek soms of de inspanningen omgekeerd evenredig waren aan het inkomen. Ofwel: hoe minder geld te besteden, hoe overdadiger was uitgepakt met massief eiken, kanten kraagjes, reuzeooievaars, baby-behang en wat al niet. Sommige moeders vertelden zorgelijk welke leningen zij hadden moeten afsluiten. En steevast besloten zij met de zinsnede: 'Maar ja, je wilt toch het beste voor je kind...'

Broertje in de wieg

Dat we een nest willen bouwen voor de baby is alleen maar goed. Alleen vertalen wij dat in 'kopen'. Het kopen van

Test op z'n best

Het eerste geld dat je kunt besparen, zijn de kosten van een zwangerschapstest. De fabrikanten adverteren met romantische foto's en de op zich juiste informatie dat je de test al kunt doen als je nog maar één dag overtijd bent. Maar als je te vroeg test, is de uitslag onzeker. Als de uitslag negatief is (niet zwanger) kan het zijn dat je wel zwanger bent, maar dat de concentratie van het te meten zwangerschapshormoon zo laag is dat het nog niet is aan te tonen. Als je niet gaat menstrueren, moet je na een week weer testen. Dat is precies wat de fabriek wil: sommige stoppen voor veel geld twee testen in de verpakking. Test dus sowieso pas na een week overtijd te zijn, de kans op een correcte uitslag is dan veel groter. Ook kun je nagaan of de verzekering een test via je huisarts vergoedt. Je kunt ook zelf een test kopen, bij drogist, apotheek of online, op z'n voordeligst ongeveer € 6,- voor 5 stuks inclusief verzendkosten. Online is goedkoper dan de meeste testen bij de apotheek. De tip is dan één keer per cyclus te testen als je een week over tijd bent.

dure spullen geeft een beetje zelfvertrouwen. We halen in elk geval het beste in huis. Twijfelen we aan de kwaliteiten die we zelf in huis hebben? Ja natuurlijk doen we dat. Er zal geen zwangere of aanstaande vader zijn die soms niet twijfelt aan de hele baby-krijg-onderneming. Kunnen wij dat wel, twintig jaar klaar staan en huilende kinderen troosten? Niemand kan je een antwoord geven op die vraag. Wel kun je de lijstjes van de kraamzorg erbij pakken en gaan afstrepen. Dit hebben we. Dat hebben we. Alles klopt. Dit doen wij in elk geval goed, kijk maar op het lijstje.

Mijn tip is je twijfels over je eigen kwaliteiten los te koppelen van de materiële kant van de zaak. Of beter nog: ze vastkoppelen aan het creatieve nestelen. Zeker is dat de baby na de geboorte niet rondkijkt en zich afvraagt: 'Waar is dit gekocht, is dit wel massief? En hoe goed gevuld is de portemonnee van m'n ouders?' Wat wil die baby dan? Die wil heerlijk drinken. En jou! Rondgedragen worden op je hart terwijl je zingt. In de 21e eeuw is er natuurlijk geen tijd voor dit soort carrière onderbrekende flauwekul. Maar als je op alternatieve wijze aan je spulletjes weet te komen kun je een kwart jaarsalaris uitsparen. En geld is tijd.

De Blije Doos

De fabrikanten van babyartikelen hebben er heel wat voor over om de kooplustige zwangere te traceren. Het bureau *Wij/Speciaal Media* bedacht daartoe het gratis tijdschrift *Wij, Jonge Ouders*. Dat staat natuurlijk vol advertorials, reclame in verhalende vorm. Je kunt het tijdschrift en de doos opvragen via www.deblijedoos.nl.

In de zevende maand van de zwangerschap kun je in de Prénatalwinkel 'De Blije Doos' ophalen. De doos bevat veel folders, maar ook gratis producten, waar ik zelf altijd kinderlijk blij mee was. Sinds ik een cabaretprogramma zag van Brigitte Kaandorp, die haar eigen zenuwen over het moederschap tot in detail aan het publiek beschreef, kan ik niet meer aan die doos denken zonder de dubbelzinnige betekenis die zij eraan gaf. 'Mensen, de naam! Als er nou één periode was dat ik niet zo'n blije doos had was het wel in het kraambed!' En dan liep ze een stukje met een vertrokken gezicht, zo'n scheef loopje van een vrouw die juist na de bevalling is gehecht.

Zat je eenmaal in het adressenbestand van het bureau, dan kwam in de kraamtijd de hostess met weer een doos. Dan ging het er wat harder aan toe. Waar ik bij de eerste doos de gratis producten dankbaar aanvaardde en de folders na bestudering bij het oud papier deed, zo eenvoudig kwam ik er nu

Je staat er mooi op

Vanaf de geboorte van het eerste kind worden er in een gezin véél foto's gemaakt. De Consumentenbond onderzocht ooit de verhouding tussen prijs en kwaliteit van de verschillende foto-afdrukkers en kwam tot de conclusie dat er geen peil op te trekken is. De dure zijn soms slecht en soms goed, net als de voordelige. Het prijsverschil kan oplopen tot wel een halve euro per foto. Voor mij genoeg reden om de gok te wagen en dus de voordeligste te kiezen. Maar let op: spaar je wensen voor afdrukken een beetje op, ga niet naar het Kruidvat voor 2 afdrukjes, aangezien je per bezoek instapkosten betaalt.

De prijs hangt ook af van de hoeveelheid foto's die je laat afdrukken. Dat kan reden zijn je foto's te selecteren en gedurende langere tijd op te sparen. En er dan in één keer 100 te laten afdrukken.

Je kunt prijzen (van foto's afdrukken en albums samenstellen) vergelijken op www.onlinefotoservices.nl.

De consumentenbond testte fotoalbums, en ontdekte dat er veel aanbieders van albums zijn, maar slechts enkele afdrukcentrales. Alle fotoboeken die als beste uit de test kwamen, bleken gedrukt in de afdrukcentrale van Cewe. Daar komen de best beoordeelde fotoboeken van Albert Heijn, Kruidvat, Fotoalbum.nl en Snapfish vandaan. Topfotoalbum en Fujiprint kregen het predikaat 'Beste koop'.

De software lijkt erg op elkaar, maar de prijzen verschillen dus. De opmaak aanpassen gaat het makkelijkst bij Cewe.

niet meer van af. Na wat plichtpleging over de schattigheid van de baby en de toestand van de moeder pakte de hostess deze tweede doos voor je neus uit. De gratis producten stopt ze in je handen en daartussendoor doet ze je aanbiedingen: 'Kijk, dit prachtige boek' (ze geeft het je aan, zou je dat gratis krijgen?)… 'krijgt u…' (dat is vast te duur)… 'als u nu een abonnement neemt op dit kindertijdschrift!' Het boek waarvan je juist bevestigde dat je het mooi vond (tenminste, als je het gratis krijgt) moet je nu met reden omkleed weer aan haar terug zien te geven. En het gaat maar door, weer iets gratis, en dan weer een aanbieding waar je je onderuit moet zien te werken. Bij het eerste kind verloor ik de worstelpartij en kocht drie dingen waaraan ik geen behoefte had. Bij de tweede werd het gelijk spel, ik kocht slechts één ding, waarvan ik nog wel plezier gehad heb. En bij de derde behaalde ik een klinkende overwinning door werkelijk niets te kopen, waarna de hostess nijdig de folders weer in haar koffer propte. En ik, ja sorry hoor, de gratis artikelen handenwrijvend in mijn kastjes ging opbergen.

Borst of fles

De lange rij voordelen van borstvoeding is de meeste mensen wel bekend. De voeding heeft altijd de juiste temperatuur, weerstand tegen ziekten wordt gratis meegeleverd, je hebt het altijd bij de hand en… het scheelt handen vol geld. De laatste onderzoeken tonen aan dat borstgevoede kinderen een piezeltje slimmer zouden zijn dan flessenkinderen. De aard van zo'n verband is natuurlijk nooit te bewijzen. Zit er iets slimmakends in borstvoeding, en zo ja wat dan? Of geven slimme mensen (die een grotere kans op slimme kinderen hebben) vaker borstvoeding? Maar dit terzijde.

Het geven van borst- of flesvoeding is een duidelijk voorbeeld van een onderwerp dat de mensen in kampen verdeelt. Daar kwam ik pas achter toen ik, na een opleiding in de maatschappelijke gezondheidszorg, het geven van voedingsadviezen tot mijn taak mocht rekenen. Op de opleiding had ik geleerd dat borstvoeding, om tal van (de overbekende en hierboven opgesomde redenen), het beste was, maar dat sommige vrouwen er na enkele weken mee stoppen omdat zij over onvoldoende informatie en hulpmiddelen beschikten, of omdat zij niet genoeg steun kregen.

Een voorbeeld daarvan was de vrouw die zo'n last had van stuwing dat de harde plekken opgehoopte voeding bijna onder haar kin zaten. De borst stond bol van de spanning en de baby kon uit de gespannen bol geen druppel tevoorschijn zuigen. Dit was een zaak voor super-zuster! Naar mijn idee was de oplossing dat de opgehoopte melk eerst uit de borst moest, met massage onder een warme douche, en anders met een kolf. Van de dan weer hanteerbare borsten zou de baby wel goed kunnen drinken. Ik legde dit uit aan de vrouw, die, toen ik de kolf ter illustratie uit mijn koffer haalde, in jammeren uitbarstte. 'Dát doe ik niet hoor, dát doe ik niet', bleef zij huilend herhalen. Ik was op elk borst- en/of tepelprobleem voorbereid, maar niet op deze verdrietige wanhoop. Ze wilde de door mij zo bejubelde borstvoeding helemaal niet geven, ze wilde het écht niet.

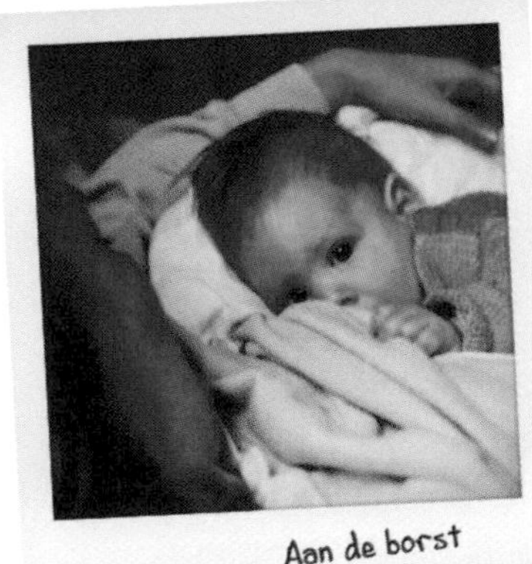
Aan de borst

Ik leerde met een schok dat mensen meestal heel goed weten wat ze willen, maar het oordeel vrezen van familie, de buren en niet in de laatste plaats het politiek correcte oordeel van de kraamhulp of verloskundige. De kraamvrouw, vooral als ze van haar eerste kind is bevallen, staat wat de voeding betreft voor drie keuzes. Eerste mogelijkheid: voor haar is borstvoeding de enige weg. Zij schaart zich in het trotse kamp van degenen die het gelijk aan hun kant weten. Mochten zich problemen voordoen dan kunnen die worden opgelost met hulp van talloze instanties, de wijkverpleegkundige, de verloskundige, de kraamhulp, de vakbond Borstvoeding Natuurlijk, La Leche League etc.

Tweede mogelijkheid: de vrouw wíl wel bij het bovengenoemde kamp horen, maar ziet om persoonlijke of praktische redenen op tegen borstvoeding en voelt zich daar schuldig over. De hierboven beschreven huilende vrouw hoorde tot die groep. Ik heb voorbeelden gezien van vrouwen die bij een huisbezoek van mij verschrikt een fles onder een kussen duwden, en volhielden dat ze de borst gaven. Zoveel moeite hadden zij om de trotse club te verlaten en over te stappen op de derde mogelijkheid. In deze groep zitten de vrouwen die van meet af aan van plan zijn de fles te geven en van wie de tegenstanders de pot op kunnen.

Voordat ik verder ga, wil ik de lezers vragen plaats te nemen in het eerste of het derde kamp. De tweede groep kun je echt beter vermijden. Schuldgevoel is verlammend, tijdrovend en zal je nog genoeg achtervolgen als je eenmaal aan kinderen begint. Bovendien wil schuldgevoel maar één ding: gecompenseerd worden. En dat gebeurt bij voortduring door het aanschaffen van 'het beste'. De duurste wieg, de meest in het oog springende kinderwagen, de beste broekjes, luiers en muziekdoosjes. Als we het schuldgevoel op non-actief stellen, of onszelf ernstig toespreken en bevestigen dat wij ook maar arme stumpers zijn die er met hart en ziel naar streven er voor die kindertjes iets moois van te maken, dan kunnen we schaamteloos op zoek naar de voordeligste zuigelingenvoeding.

Het prijsverschil tussen de duurste en de voordeligste goedgekeurde volledige zuigelingenflesvoeding bedraagt 44%. Hier zijn dus grote voordelen te behalen. Een ander zeer interessant punt is de opvolgmelk. Volgens een internationale code is het aan producenten van zuigelingenvoeding (terecht) niet toegestaan reclame te maken voor flesvoeding. Toch willen ook die fabrikanten hun omzet vergroten, dus wat is bedacht? De opvolgmelk. Deze is geïntroduceerd rond 1990 en de fabrikanten van flesvoeding hebben sindsdien, zonder een cent aan reclame te betalen, hun omzet verdubbeld, aldus reclamevaktijdschrift *Adformatie*.

Tot 1990 kregen baby's het eerste half jaar flesvoeding, vervolgens in de zevende maand een halfvollemelk-water-mengsel en daarna halfvolle melk, uit een beker. Toen mijn oudste kind in 1986 werd geboren bestond opvolgmelk nog niet, bij het tweede kind in 1989 was het net in opkomst en bij de derde in 1991 werd het tot mijn stomme verbazing al standaard geadviseerd op de zuigelingenbureaus. Baby's moesten vanaf de zevende maand tot ongeveer een jaar te drinken krijgen uit een fles gevuld met opvolgmelk.

Zelf vond ik het altijd een goede stimulans om minstens een half jaar borstvoeding te geven. Als lid van het borstkamp had ik weinig zin om alsnog dat beredure poeder te moeten aanschaffen als ik ze eens wat extra drinken wilde geven. Ook als je flesvoeding geeft, kun je na een half jaar overstappen op halfvolle melk. Maar dat voelt eng aan. Kan de kleine dat wel verdragen? Spelen wij niet met vuur? Welnee. Het eenvoudigste argument is dit: alle mensen van 21 jaar en ouder, dus alle volwassenen (inclusief jijzelf) die in Nederland rondlopen, hebben het moeten stellen zonder opvolgmelk. Zien zij er gammel uit? Hebben ze kromme benen?

Maar waarom zijn de zuigelingenbureaus het dan gaan adviseren? Die ouder- en kindzorg wil een eenduidig beleid. Geen advies op maat, niet voor elk wat wils. Er ligt een schema, en dat wordt in het hele land opgelegd aan de ouders. Discussie hierover kost tijd en zelfs vragen hierover zullen je niet in dank worden afgenomen. Belangrijk is dat er geen wetenschappelijk onderzoek is dat aantoont dat de opvolg-kinderen beter af zijn. Er is ook geen bewijs dat de gewone-melk-kinderen beter af zijn, maar hun ouders zijn in elk geval een stuk goedkoper uit. Behalve de gewone melk moet je, net als naast de borstvoeding, wel vitaminen geven. Ook deze kunnen weer sterk in prijs verschillen. Advies over dosering kun je vragen bij de ouder-kindzorg, maar ook lezen op de verpakking van de vitaminen.

Inmiddels is er ook peutermelk op de markt. Gaan ze die straks ook verplicht voorschrijven? Ik voorspel dat de industrie binnenkort komt met kleuter-, puber- en bejaardenmelk, maar dit terzijde. Peutermelk kost € 1,75 per liter, bijna drie maal de prijs van gewone halfvolle melk.

Bespaar € 400

De duurste methode, namelijk het eerste jaar flesvoeding (eerst gewone Nutrilon en daarna Nutrilon opvolgmelk en nog een half jaar peutermelk, plus € 45,- voor flessen en spenen, kost ruwweg € 585,-.
De voordeligste methode, waarbij je bijvoorbeeld tot en met het eerste halfjaar borstvoeding geeft (ik reken € 30,- voor voedings-BH, kompressen en extra vitamine) en daarna gewoon halfvolle melk kost de eerste anderhalf jaartotaal dus maar € 175,-.
De grootst mogelijke besparing, alleen op melk, tijdens de eerste 18 maanden is dus **ruim 400,-.**

Potjes of pannetjes?

Op kraamvisite met een staafmixer? Ik weet het: niet erg romantisch. Zelf heb ik het diverse keren gedaan in plaats van het tweeëndertigste broekje of de vijfenveertigste knuffel mee te brengen. Als de staafmixer nog geen deel uitmaakte van de uitrusting van de aanstaande ouders, is dit het moment om ermee kennis te maken. Want hiermee kunnen grootse werken worden verricht, waar zowel ouders als kinderen wel bij varen. En waar je aanzienlijke bedragen mee kunt besparen.

Eigenlijk is het onbegrijpelijk dat ons kostbaarste bezit, onze kindertjes, zo vaak uit blik, pardon, uit een potje moeten eten. Als je in een modern weldenkend gezelschap zou vertellen dat je uitsluitend en dagelijks uit blik eet, zou men denken aan een 1 aprilgrap. Een vermakelijke recalcitrantie in het culi-tijdperk? Of zou men je indelen bij de vrijgezellen die het spreekwoordelijke ei nog niet kunnen bakken? Babyvoeding uit blik of potje is niet vers, bewerkt en geconserveerd. Bewerking, conservering, verpakking en reclame kosten natuurlijk geld. Blik of glas is dan ook veel duurder dan vers. En dat is nog maar één verschil tussen het zelfgemaakte en het gekochte hapje.

Waar is het toch begonnen met die potjes babyvoeding? Mijn ouders maakten nog eigenhandig een fruit- of groentehapje, prakten een aardappeltje. Bonden ons een slabje om de hals om het gebreide truitje te beschermen en stopten de baby lekker vol. Er zijn culturen waar de moeder de hapjes eerst voorkauwt om het daarna met de vingers in baby's mond te duwen. Het feit dat baby nog geen kiezen heeft en het voedsel dus door de ouders of verzorgers fijngemaakt moet worden, zal wel de aanleiding zijn geweest om potjes te gaan fabriceren. Daarmee adverteert men ook: het voedsel in de potjes is 'gehomogeniseerd'. Wat gewoon inhoudt dat het door een ragfijne zeef is geduwd.

Dat wordt als voordeel aangeprezen, maar is het niet. Het eerste vaste voedsel dat de baby proeft, heeft steeds deze gezeefde zalfachtige consistentie en hij concludeert ten onrechte dat het zo hoort te zijn. Bied je eens iets anders aan dan werkt hij stukjes en brokjes uit zijn mond, met in de tekstballon boven zijn hoofd: 'Dit ben ik niet gewend, dus hier waag ik mij niet aan.' Op termijn kweek je zo lastige eters. De baby ontwikkelt niet alleen een vage angst voor stukjes, maar denkt ook dat alle voedsel smaakt naar potjesvoer. De fabrikanten doen appel of andere zoetstoffen door de voeding. Kijk maar op de verpakking, proef maar; alle potjes smaken even zoet.

Ben je al volop met potjes bezig, dan is er nog geen man overboord. Met de staafmixer kun je een aardappeltje, wat groente en een lepeltje appelmoes (ja, wat zij kunnen, kunnen wij ook) tot een zeer fijn prakje blenderen. Langzaamaan kun je de stukjes wat groter laten en de hoeveelheid appel verminderen, zodat je uiteindelijk op normaal mensen-eten uitkomt.

Recepten

Het eerste fruithapje

Pers een sinaasappel uit en rasp een halve schoongemaakte appel op de nootmuskaatrasp. Voeg meteen een eetlepel sinaasappelsap toe, zodat de appel niet verkleurt. De rest van appel en sinaasappel neem je zelf, want als jonge ouder kun je wel wat vitamientjes en energie gebruiken.

Kost € 0,20.

Het eerste groentehapje

Maak een halve winterwortel schoon en kook hem zonder zout. Druk hem met een lepel door een zeef, of maak fijn met de staafmixer. Eventueel een klein scheutje melk toevoegen.

Kost € 0,05.

De voordelen van het zelf maken van baby's eten zijn groot. Er is geen risico dat ergens in het productieproces iets mis is gegaan. Je bepaalt nu zelf de grofheid: de kans op een stukjesfobie is nihil. Je bepaalt zelf de smaak. Je hebt de mogelijkheid om restjes eten te verwerken tot babyhapjes, wat altijd nog verser is dan een potje. Je gaat zoutloos koken, de zoutpot komt op tafel in plaats van het zout aan het kookwater toe te voegen. De smaak kon voor jou hetzelfde blijven, maar je gebruikt veel minder zout, wat voor het hele gezin gezonder is. Je gaat meer op de kwaliteit van je eigen eten letten. En je kunt de kosten van een korte skivakantie uitsparen (of een iets langere vakantie van een ander soort, afhankelijk van hoe je het aanpakt).

En kies je zo nu en dan voor potjes omdat de rest van de familie iets eet dat ongeschikt is voor baby's, bijvoorbeeld omdat het te scherp is, maak dan je eigen potjes. Als je eens een wat grotere hoeveelheid gekookt hebt van eten dat geschikt is voor baby's, blender het dan met een scheutje melk, vul enkele lege potjes (niet helemaal tot de rand) als je die nog hebt en doe ze in de diepvries. Dat gaat heel goed. Alleen kunnen de potjes niet rechtstreeks van diepvries naar magnetron, je moet ze eerst laten ontdooien in de koelkast.

Bij vragen over baby's en peuters aan de opvoedtelefoon staan eet- en slaapproblemen bovenaan. En eten komt nog drie keer per dag terug ook. Waarom zijn slecht etende kinderen zo'n ramp voor de ouders? Ze wijzen je af, ze weigeren je eigen brouwsel of je aankoop. Ook hier wordt schuldgevoel vaak gecompenseerd met de aankoop van de duurste producten. Het allerbelangrijkste voordeel van zelf kokkerellen is: je moedert en vadert. Jouw eten staat voor jouw inzet, bevat jouw liefde. De wetenschappers zijn er nog steeds niet in geslaagd dit voor de baby onmisbare ingrediënt in blik of glas te stoppen, laat staan te conserveren.

Lekker hapje

Zelf heb ik de opvoedtelefoon niet hoeven raadplegen over moeilijk etende kinderen. De oudste overwoog zelfs kok te worden, de tweede moesten we soms na twee keer een bord volscheppen afremmen. Alleen de jongste zong nog wel eens het liedje van 'ik lust dit niet'. Maar veel kans om zich tot een probleemeter te ontwikkelen kreeg hij niet. Als hij de onderhandelingen startte met 'Mag ik dit overlaten?' roepen de anderen in koor 'Mag ik dan de rest?' Dat zette hem kennelijk aan het denken, want daarna vroeg hij of iemand zijn eten wilde kopen. Ik troost me met de gedachte dat ook het eten dat hij niet lust in zijn optiek nog waarde heeft.

Bespaar € 1300

De totale voeding van de baby in de eerste anderhalf jaar op z'n duurst, bestaande uit flesvoeding, opvolgmelk, peutermelk en zowel fruit, groente als toetjes uit potjes, kost € 1.600,-.
De voordeligste methode, waarbij je het eerste halfjaar borstvoeding geeft, en daarna halfvolle melk, en eigengemaakt fruit, groente en toetjes komt op zo'n € 250,-.
De grootst mogelijke besparing is zo ruim **€ 1300,-** per kind in de eerste anderhalf jaar aan voeding.

Marieke kijkt terug

Als ik terugkijk op het 'voederen' van mijn drie zonen, ben ik vooral blij met het feit dat het gezonde eters zijn geworden. Door borstvoeding krijgen baby's al dagelijks een iets andere smaak in hun mond; de smaak verandert door wat moeder eet. Zodra ze fruit en daarna groenten mochten, had ik er lol in elke dag een ander hapje te maken. Daarbij vaak geleid door het gegeven dat er een stukje groente overbleef, precies genoeg voor een babyhapje. Een stukje tomaat, komkommer, een paar maïskorrels? Hup door het babyhapje! Later deed ik hetzelfde met kippenvoer, maar dit terzijde. Ze kregen in elk geval unieke combinaties, grappige kleurtjes en hapjes die nergens te koop zijn. Ze hadden plezier in eten en aten als kleuters bijvoorbeeld uit zichzelf al olijven. Of wilden die in elk geval proberen, als die verleidelijk op tafel stonden. Nu ze volwassen zijn koken ze graag en eten ze alle drie gevarieerd en gezond.

Geen impulsaankopen

Thijs van Kessel (30), ambtenaar, Sabine van Kessel (30), secretaresse, Gert(4), Bram (3) en de tweeling Anna & Yfke (10 maanden)

Sabine van Kessel: 'Voordat we in ons nieuwe huis trokken, woonden we een poosje boven een supermarkt. Als we een boodschap nodig hadden, liepen we even naar de winkel, lekker dichtbij. Tot ik er achter kwam hoe vaak ik met veel meer spullen thuis kwam dan ik van plan was geweest. Nu noteer ik alles wat we nodig hebben en maken we wekelijks een boodschappenlijst. We laten die lekker luxe thuisbezorgen. De bezorgkosten vallen mee. Het spaart een hoop tijd en ook geld: de impulsaankopen zijn verleden tijd. Verder doen we zo veel mogelijk op de fiets, we genieten ervan en we geven zo veel minder uit aan benzine en aan parkeren.'

Het babyschap

'Het babyschap is booming business', kopte een grote landelijke krant. Supermarkten zouden de 'baby-rate' (het aantal baby's per vierkante meter of iets dergelijks) in hun buurt moeten gaan vaststellen. Juist dit cijfer zou houvast geven bij het berekenen van de mogelijke omzet. Als de supermarkt die omzet niet haalde, zou deze meer positieve aandacht aan het babyschap in de winkel moeten schenken. Zodoende zou men zichzelf sterker kunnen positioneren. Ja, de marketingmensen zijn nogal met jonge ouders in de weer. Ze willen dat die meer kopen voor hun schattebouten – andere, nieuwe producten - maar toch vooral dat ze meer consumeren.

Het bericht daagde me uit tot een wandeling langs het babyschap, of eigenlijk langs de vele babyschappen die er zijn in winkels. Een hele afstand nog. Bij elk product vroeg ik me af of het had bijgedragen aan mijn eigen groot, sterk en kritisch worden. En wat denk je? Bijna alles wat daar ligt, is uitgevonden ná mijn babytijd. Flesvoeding was niet nodig: ik kreeg de borst en ging daarna direct door naar de beker melk, zoals mijn moeder altijd met gepaste trots vertelde. Drie kinderen en geen speen of fles in huis gehad. Dat scheelt een metertje of drie in het babyschap. Geen melk, opvolgmelk, sojamelk, peptimelk, speciale melk voor spugende, krampende, hongerige of pasgeboren baby's. Potjes groente bestonden nog niet, laat staan potjes yoghurt (drie happen voor de prijs van drie liter). Groente werd gewoon geprakt met een aardappeltje. De baby at met de pot mee. De luiers waren van katoen. Weer tien meter schap. Babybilletjes werden gewoon gewassen en niet afgekledderd met olie-, milk- of lotiondoekjes. Na lang turen tussen de baby-appelsap, (gemaakt van baby-appels?), de tuimelbekers en de babyshampoo vind ik één ding dat er in mijn tijd ook al was: Liga. Ik weet nog hoe het smaakte, met banaan en een geperst sinaasappeltje. Maar waar is mijn Liga? Zo'n rode doos met een kinderhoofdje erop, de koek zelf vierkant met een diagonaal streepje? Er zijn Liga's gevuld met kaas, met noten, met rozijnen, Liga's in overvloed. Zou er 'Liga Classic' bestaan? Ik vind 'Starters-Liga' en bestudeer de samenstelling. Kijk nou! Ben ik een keer nostalgisch over een product: zit het vol suiker. Mijn tandjes waren nog niet doorgekomen of daar kwam de suiker al aan. Dat ene product mag de tand des tijds hebben doorstaan: het heeft ook bijgedragen aan het zwakke gebit waarmee ik het nu moet doen. In dat hele schap staat dus niets waaraan ik in positieve zin iets te danken heb. Voor de voeding en de verzorging kan ik mijn ouders bedanken, maar geen enkele fabriek.

Je kunt aanleren jezelf twee toetsvragen te stellen, voordat je enig babyproduct koop. De eerste is als boven: heeft het positief bijgedragen aan mijn eigen groei en ontwikkeling? (En daarmee samenhangend: hoe deden ze dat vroeger eigenlijk?) En de tweede vraag: is het onmisbaar? Stel, je belandt in een oerwoud met je baby op je arm: zouden jullie sterven zonder de babytas-met-inhoud van Prénatal? Ik kwam op het idee mezelf die toetsvragen te stellen, omdat ik merkte dat er bij een uitstapje met de baby bijna een verhuiswagen mee moest. Een campingbedje dat ook als box kon dienen, de buik- of rugdrager, de buggy of kinderwagen als die er nog in paste, een voorraadje luiers, de huidverzorgingsartikelen en voor de flesvoeders zou er nog één en ander bijkomen. Het leverde me meer stress op dan comfort.

In een opstandige bui besloot ik eens op bezoek te gaan zonder ook maar iets mee te nemen. Baby in het autostoeltje en rijden maar. Opa en oma waren aangenaam verrast met deze onverwachte visite. Na een kopje koffie voor ons en een slokje borst voor de baby moest mijn kind slapen. Midden in het grote bed gelegd, niet te warm onder gestopt, liedje gezongen, kusjes (die waren we gelukkig niet vergeten) en slapen maar. Na het slapen moest hij een schone luier en nu werd het wat moeilijker. Maar onze gastheer-opa wist een achterbuurman met kleinkinderen, wellicht met een reserveluier in huis; hij zou eens gaan informeren. Schaterend kwam hij terug, met een half pak luiers. Buurmans kleinkind was inmiddels zindelijk, dus neem maar mee. 'Maar collega-opa: heb jij misschien nog een potje? Want morgen komt die van ons.' En ja, opa had nog een potje op zolder, dat ging naar de buurman. Er was een campingachtige sfeer ontstaan: wij zijn niet voor één gat te vangen. De baby werd op een handdoek gelegd. In plaats van doekjes was er een kommetje water en wat toiletpapier. Deze manier van op pad gaan is zo goed bevallen dat ik het nooit meer anders heb gedaan. Alleen stopte ik achter de rugleuning van het autostoeltje twee luiers, die ik na gebruik steeds aanvul. Meer bleek niet nodig.

Olie-, lotion- en milkdoekjes zijn voorbeelden van over-

Billen- en snoetenpoetsers

Toen mijn jongens in de luiers lagen waren de 'oliedoekjes' net uitgevonden. Het waren nogal harde doekjes, druipend van de babyolie, volgens mij waren die oerdoekjes van Zwitsal. Zoals hieronder te lezen is had ik vooral bezwaar tegen schoonmaken met olie. De huidige doekjes zijn veel zachter, waterig met een zeepgeurtje. Ze lijken veel méér op mijn voorkeurmethode: de washand met water.
Als ik op mijn buurbaby pas gebruik ik ze niet met tegenzin. Maar ze zijn nog steeds duur!
Vochtige doekjes kosten ongeveer 3,2 eurocent per stuk. Stel, je gebruikt er acht per dag, gedurende drie jaar. Dat is € 286,-. Er zijn ook voordelige doekjes, van 2,4 cent per stuk, dan komt je op € 216,- voor 3 jaar. Daar kun je met een paar washandjes makkelijk op besparen.

bodige producten. De toetsvraag 'hoe deden ze dat vroeger toch?' is eenvoudig te beantwoorden: met... een washand. En als ervaren wijkverpleegkundige weet ik wat het is om een kwetsbare huid te verzorgen. Niets geeft grotere voldoening dan door soms maandenlang zorgvuldig verzorgen een wond weer dicht te krijgen. Voorwaarde is dat de huid goed schoon is. Daarom had ik het ook al niet op die olie-doekjes. Naar mijn gevoel masseer je de poep juist de huid in en dek je dat af met een laagje vet. Dat is vragen om problemen. Bij een poepluier doopte ik een paar tissues in een kommetje lauw water om de meeste poep te verwijderen. Dan de billetjes wassen met water en een washand, en desgewenst een beetje babyzeep (zelf gebruikte ik zo min mogelijk zeep). En dan de huid een beetje masseren met billenzalf.

Natuurlijk zijn er zaken die er vroeger niet waren en waarmee ik toch heel blij ben. De bouncer, een soort schommel waar de baby in kan zitten en springen, was een uitkomst voor onze tweede zoon. Hij was een zeer humeurige baby die graag wat om handen had, ook al voordat hij dat zelf kon organiseren. Al zeiden sommige handboeken dat de bouncer niet goed is en de baby er later door gaat lopen: in zijn geval was dit het enige moment dat hij tevreden keek. Wel kocht ik de bouncer tweedehands, voor tien euro in plaats van vijftig, en voor hetzelfde bedrag heb ik hem later weer van de hand gedaan. Een goede draagzak vroeg en kreeg ik als kraamcadeau. Hij werd drie kinderen lang en intens gebruikt, vele malen uitgeleend en tot slot weggeven. Ook deze dure en zeer gewaardeerde draagzak zag ik op een tweedehands kinderkledingbeurs voor een krats. Het beste hoeft niet duur te zijn.

Over luiers en zindelijk worden

Ook de keuze welke luiers je gaat gebruiken, verdeelt jonge ouders in kampen. De katoenen hebben het morele gelijk aan hun zijde: beter voor het milieu, en er nog dagelijks voor moeten werken, wassen en viezeren ook. De wegwerpluierfabrikanten (die hun eigen product het liefst 'papieren luier' noemen, hoewel 30% ervan bestaat uit plastic en synthetische *superabsorbers*) doen er alles aan om aan te tonen dat katoen verre van ideaal is. Bij het verbouwen van katoen worden veel bestrijdingsmiddelen gebruikt, en het wassen en vooral drogen van de luiers kost veel energie. Dit dempt het schuldgevoel van de grote groep die voor wegwerpluiers kiest. Natuurlijk willen we de aarde in zo goed mogelijk conditie achterlaten voor de schat-

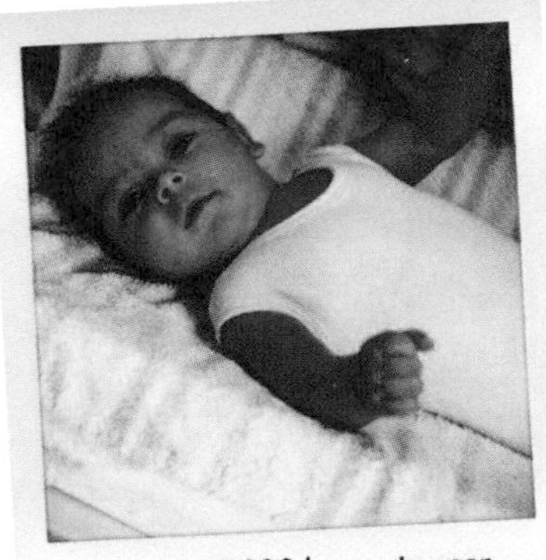

Nog 5.000 luiers te gaan...

ten die een luier nodig hebben, anderzijds is het verschil in comfort wel erg groot. We gaan ook al naar de glasbak en je kunt niet alles hebben. Zo althans verging het ons. Ik koos voor wegwerpluiers, maar wel in de meest voordelige vorm: de inlegluier met strikslip. Ook milieutechnisch scoort deze combinatie achteraf nog niet eens zo slecht, omdat het plastic strikslipje wordt hergebruikt. Pampers waren achterlijk duur en de Billies plus strikslip waren voor mij een aardig compromis. En vergeleken met katoen nog best luxe ook. Bij de geboorte van onze tweede zoon trof ik al een kraamzuster die ik moest leren hoe ze met de strikslip om moest gaan. Toen onze derde zoon werd geboren, brak er een prijzenslag uit tussen de wegwerp-broekluier fabrikanten waarvan ik dankbaar profiteerde. Eenmaal was er zo'n waanzinnige aanbieding dat ik vijftien pakken op zolder opsloeg. Gelukkig werd onze jongste schat niet zindelijk voordat deze voorraad helemaal was volgeplast. Billies zijn inmiddels niet meer te koop. Het is nu dus kiezen uit katoen en wegwerpluiers.

Ooit liet Milieu Centraal onderzoeken welke luiers het beste zijn voor het milieu. Nieuw aan dit onderzoek was dat heel verschillende milieueffecten, zoals afval-, lucht-, en watervervuiling met elkaar vergeleken zijn. Thuis katoenen luiers wassen bleek het minst belastend, zelfs als dat gebeurt op 95 graden Celsius, met de trommel niet helemaal vol en als de luiers bij de helft van de wasbeurten in de droogtrommel werden gedroogd. Als de droger voortdurend gebruikt wordt, is het verschil met wegwerpluiers en de luierservice minimaal. Daarbij zijn wegwerpluiers het voordeligst. Ze zorgen wel voor veel afval: 5% van het huishoudelijk afval bestaat uit luiers. Dat zijn gemiddeld 5000 gebruikte luiers per baby, 4 ton vuilnis.

Wie wil besparen kan een boel bereiken door op aanbiedingen te letten. De prijsverschillen zijn sowicso groot. De prijzen van de wegwerpluiers variëren van € 0,14 tot € 0,35 per stuk. De luiers van Pampers kwamen onlangs als beste uit een Consumentenbondtest. Ze kosten € 0,34 per stuk (Active Fit new). De Beste Koop in de test zijn de luiers van Etos, die € 0,19 per stuk kosten. Verschillende websites houden bij waar je de goedkoopste luiers en aanbiedingen kunt vinden, onder andere: watkostenluiers.nl en degoedkoopsteluiers.nl. Je kunt je gratis abonneren op een nieuwsbrief.

Bespaar € 1000

Gemiddeld verbruikt een kind 5 luiers per dag, dus 1825 per jaar. Als je kind tussen de 2,5 en 3 jaar zindelijk wordt, is dat zo'n 5000 totaal. Door regelmatig op zo'n vergelijkingssite te kijken en de aanbiedingen te raadplegen kun je per kind zo'n **€ 1.000,-** besparen op luiers en doekjes samen.

Na de keuze voor een bepaalde luier valt er nog heel wat te besparen, bijvoorbeeld door het aantal verschoningen per dag te verminderen. Nee, niet de lieve dreumes de hele dag in een goedkope luier laten rondlopen, maar als we in plaats van 6,5 verschoningen per dag nu eens uitkomen op vijf, of vier? Bij de duurste luier scheelt één luier minder per dag over 2,5 jaar € 310,-, twee luiers minder dus € 620,-.

Een prachtig voorbeeld van geldverslindende overbodigheid is de overstap naar kant-en-klaar ophijsbare luierbroekjes die nog duurder zijn dan luiers. Ze worden ook gepresenteerd als 'trainers', met een speciaal laagje waardoor de peuter voelt dat er geplast is. Nu nog mooier! Hoor eens, óf we zijn nog niet toe aan zindelijk worden en dragen een goed absorberende luier, óf we gaan oefenen met droog worden en doen de luier uit.

Maar de grootste besparing en vermindering van de milieubelasting is te behalen als kinderen iets eerder zindelijk worden. In mei 2014 stond in de Volkskrant een artikel over dit onderwerp. Er kwam een huisman/vader aan het woord die vooral gebrand was op de belasting van het milieu door die luierberg. Hij had zijn kinderen eerder zindelijk gekregen, maar ontmoette enkel onbegrip. Hij bracht ze zonder luier naar de crèche en kreeg ze met luier weer terug. In de peutergroep waren geen mini-wc'tjes. Hij wilde zijn eenvoudige methode promoten, en had gesprekken gevoerd op het ministerie. Het Departement van Volksgezondheid adviseerde zijn ideeën voor te leggen aan opvoedprofessionals, zoals centra voor jeugd en gezin en consultatiebureaus. En die zijn niet te vermurwen: ze blijven bij het verhaal dat kinderen zindelijk worden 'als ze er aan toe zijn'. Daar ben ik het dus niet mee eens. Waren kinderen er vroeger dan een jaar eerder aan toe? Ik denk dat kinderen zindelijk worden als de ouders er aan toe zijn om daar wat aandacht en energie in te steken.

Kinderen worden tegenwoordig later zindelijk dan 30 jaar geleden. Vraag maar eens in een willekeurige kleuterklas wie er 's nachts nog een luier draagt. Dat zijn er meer dan je denkt. Het is mijn stellige overtuiging dat zindelijk worden niet vanzelf gaat, en dat moderne luiers er een nadelige invloed op hebben. Hierbij speelt een aantal factoren een rol.

Door het geweldige absorptievermogen van de moderne luier voelt de peuter niet dat hij geplast heeft. De natte luier levert geen naar gevoel op, integendeel, de luier is niet nat maar wel warm. Waar moet de peuter de motivatie vandaan halen om zindelijk te worden? Als je dan ook nog overstapt op dure ophijsbroekjes, denkt de peuter ten onrechte dat hij al hoort bij de grote kinderen zonder luier. Ook lijkt het erop dat meer ouders minder tijd hebben om een paar weken te besteden aan het helpen met droog worden. De reclame maakt ons wijs dat we niet meer bang hoeven zijn voor 'ongelukjes' dankzij de dure ophijsbroekjes. Maar droog worden zonder ongelukjes bestaat niet. Eens moet die luier uit en zal er een plasje op de grond, op de bank, naast de wc en in bed terecht komen. Dit is niet leuk voor de familie maar het hoort erbij. Ook niet leuk voor de peuter, die hieruit de motivatie haalt droog te blijven.

Vanaf het moment dat onze kinderen stevig konden zitten in de kinderstoel hebben ze twee keer per dag ('s ochtends en 's middags direct na het slapen) een kwartiertje op het potje gezeten. Ze kregen daar een bekertje drinken, een boekje en wat speelgoed. Het was niet mijn doel ze direct zindelijk te maken: met deze manier van doen spaarde ik alvast één à twee luiers per dag uit. Wat ook gebeurde, is dat de kinderen nog voor ze konden nadenken het potje verbonden met gezellig opstaan, wat drinken, spelen, een veilige plaats. Noch door hen, noch door mij werd enige aandacht geschonken aan de inhoud van dat potje, of er nu wel of niet iets inzat. Tot het moment dat ze daar zelf belangstelling voor kregen. Op dat moment was het natuurlijk simpel om bewondering uit te spreken voor de geleverde prestatie, te klappen, het aan de rest van de familie te tonen en daarna samen naar het toilet om de pot leeg te kiepen en het plasje na te zwaaien. Van ouders die vanuit het niets ineens met zindelijkheidstraining begonnen, hoorde ik vaak dat de kinderen er niets van begrepen en zeker niet op het potje wilde blijven zitten. Laat staan op de wc.

Op het potje

Als het kind eenmaal zelf belangstelling heeft voor de pot plus mogelijke inhoud, kun je de luier uit laten. Het liefst in de zomer, tijdens een vakantie als er genoeg tijd is de ongelukjes op te ruimen. Heel belangrijk is daarbij te letten op wat er wél goed gaat. Als het kind tijdens de eerste dag één keer op tijd de wc weet te halen is dat vele loftuitingen waard, en kan het aan iedere buurvrouw trots worden verteld. Lukt het de volgende dag twee keer dan is dat een verbetering van 100% en dus wederom geweldig knap. Als je kind rond de leeftijd van tweeënhalf zindelijk wordt in plaats van rond de vier jaar, scheelt dat bij gebruik van de duurste luiers al snel € 1.000,-.

's Nachts droog worden

Als kinderen rond de leeftijd van 2 jaar overdag droog worden, kun je ervoor kiezen nog even een gunstige periode af te wachten voor de nacht. Een van mijn kleintjes was overdag vroeg droog, maar wilde 's nachts nog een luier. Die was de volgende morgen zowat een kilo zwaar: altijd vol geplast. Ik las dat het 's nachts zindelijk worden vanzelf zou gaan, je zou het merken aan de droge luier in de ochtend. Ik wachtte geduldig af, maar er veranderde niets. Met de leeftijd van 3,5 ben ik toen een droge-nacht-training begonnen. In het bed komen een zeiltje en een steeklakentje; een dubbel gevouwen laken ter hoogte van de billen van het kind. Je legt duidelijk uit: de luier gaat uit. Je laat het kind even plassen, vlak voor je zelf naar bed gaat. Daarbij is het belangrijk dat het kind echt even wakker wordt, en zelf naar het potje of de wc loopt. Anders leer je het kind in feite in de slaap te plassen. Ook weer even terug lopen naar bed. Als het kind 's nachts huilt en nog droog is ook altijd even laten plassen. Als het kind 's nachts huilt of roept omdat het in bed heeft geplast even samen het steeklakentje verschonen. Of jij verschoont het lakentje en het kind trekt een schone onderbroek en pyjamabroek aan. Niet boos doen, maar ook niet het kind zielig vinden. Dat het even een klein beetje minder leuk is, als je in je bed hebt geplast, levert motivatie om een soort knop om te zetten en droog te worden. Als 's ochtends pas blijkt dat het bed nat is: ook samen het bed verschonen. Als 's ochtends blijkt dat het bed droog is een kleine beloning geven. Zelf maakte ik een soort spaarkaart met stickertjes. Elke droge nacht was een sticker, 10 stickers een klein autootje, daarna 15 stickers iets groters naar keuze, en dan sparen voor het slotcadeau, waarmee we het kind zindelijk verklaren, en de beloningen ook stoppen. Ik teken hier wel bij aan dat het bij elk kind anders loopt, ook bij onze drie. Een andere zoon werd later zindelijk, maar wel in één klap voor dag en nacht. Het zal niet bij iedereen zo vlot gaan, het ene kind doet dit snel het andere wat langzamer. Het valt te proberen, als het lukt is het voor iedereen leuk.

Maxi-Cosi

Toen mijn oudste werd geboren kwam de Maxi-Cosi op de markt. Ik kocht er direct één. Daarvoor lagen baby's heel onveilig los in een weliswaar vastgezette reiswieg in de auto. Het stoeltje was duur, maar is eindeloos meegegaan.
Het verhuisde steeds van ons naar een bevriend stel, we kregen om de beurt een baby. Al deze kinderen zaten er in, en daarna nog enkele.

Al deze kinderen zaten in onze Maxi-Cosi

en daarna nog enkele...

De huilende baby en 'the real thing'

Als jonge moeder sprak ik vaak met collega Jeroen, vader van drie kinderen. Aangezien wij beiden tot over de oren in het gezinsleven met jonge kinderen zaten, hadden we zelden ruim de tijd om bij te praten. Efficiënt informeerden wij elkaar over de belangrijke dingen: de liefde, de kinderen. Ik vroeg naar zijn partner: erg moe? Hoe lang nog verlof? Daarna? En het jongste kind: is hij leuk, hoeveel huilt hij ongeveer, hoe vaak 's nachts, lacht hij al, hoe reageren de oudere kinderen? Jeroen deed verslag. Vrouw erg moe, nog even verlof, dan crèche. Kindje erg lief, vooral overdag. Kindje wil 's nachts vaak drinken, en na enig overleg is besloten hem naast zijn moeder in het grote bed te laten slapen zodat kindje zo snel mogelijk drinken krijgt, vrouw er niet uit hoeft en Jeroen niet steeds gewekt wordt. Overdag is kindje vrolijk en zonodig makkelijk te troosten, maar na achten alleen nog met *the real thing*. Ik knikte, want ik wist er alles van. Voor mijn oudste zoontje hield het in: ik liggend op bed, hij liggend op zijn buik op mijn borst. Mijn rechterhand op zijn ruggetje schudde de hele baby zachtjes heen en weer. Op de pink van mijn linkerhand zoog hij. Daarbij moest ik zingen, een droevige, zichzelf herhalende melodie. Dit en niets minder gaf hem genoeg troost om zijn pijn te vergeten. Soms stopte ik met zingen, of probeerde ik de pink te verwisselen voor een speen. Meestal zonder succes. De baby van Jeroen verlangde de ronddraagvariant.

Dit is waar de ouders van een eerste kind zo van schrikken. Mensen bereiden zich voor op de komst van een baby door een vermogen uit te geven aan de babykamer. Dat is lief en goed bedoeld. Alleen, wat blijkt: de baby wil die schattige muziekdoos niet, hij huilt als je hem die poppige kleertjes aandoet, en in de prachtige wieg wil hij helemaal niet liggen. Hij wil jou. Hij wil meer geduld dan je ooit vermoedde in huis te hebben. Voor de meeste ouders is dat eerder een schok dan een troost. Jeroen schrok niet meer zo omdat dit zijn derde kind was. Hij wist dat het weer voorbij gaat, stond zijn plekje in bed af, en liep 's avonds na achten neuriënd zijn rondjes, met de jongste in zijn armen.

Marieke kijkt terug

Jeroen en ik zijn nog steeds vrienden, en nog steeds gaan wij af en toe uit eten en informeren elkaar over de belangrijke dingen: de liefde, de kinderen. We gaan langs zijn vier en mijn drie kinderen, waarbij het inmiddels gaat over studievoortgang, kids op kamers, de wapenfeiten en de missers, hoe lang gaan we door met bepaalde hulp en dergelijke. Soms besteden we nog een paar minuten aan de stand van zaken op ons werk, maar het belangrijkste is dat we elkaar en elkaars kinderen al zo lang kennen, en vooral delen in het geluk als iets na jaren zoeken, denken, proberen toch lukt.

Ruimte voor je eigen keuzes

Waarop wil jij besparen en wat levert je dat op?

Hoofdstuk 3

Teveel van het goede

Als we baby zijn en nog veilig in de buik van onze moeder, begint het al. De baby heeft ruimte, maar die is beperkt. Vooral tegen het einde van de zwangerschap, als de baby in bijna alle gevallen met het hoofdje naar beneden ligt, voelt hij de wand van de baarmoeder. Al mijn kinderen heb ik als kleine baby's naar de rand van de wieg zien kruipen. Hoe ik ze ook te slapen legde, ze kropen of wurmden zich omhoog tot ze met hun hoofdje tegen een kant lagen. Ook als de zijkant van het bedje hard is, gaan de baby's er tegenaan liggen. Voor mij staat dit symbool voor de behoefte van ieder mens te willen weten waar de grens ligt. Hoever kun je gaan, letterlijk én figuurlijk?

Ik heb een vriendin die een kei is in het omgaan met haar kinderen, alhoewel haar pad tot nu toe niet over rozen ging. Ze maakte een ongelukkige partnerkeuze; de vader van haar kinderen is meer met zichzelf bezig dan met het gezin. Een scheiding met bijbehorende omgangsregeling volgde. Vooral het jongste zoontje heeft het tijdens die tweewekelijkse weekeinden zwaar te verduren, nog het meest met zichzelf, door gebrek aan leiding. 'Kom, we gaan eten', zegt vader afwezig, terwijl het jongetje in de kinderstoel wordt gezet. 'Nee!', is het antwoord, en de peuter gaat staan. Hij zit niet in een tuigje, want dat vindt vader tuttig. Dit levert niet alleen het risico van vallen, maar ook de kans om er uit te klimmen. En elke kans zal de lieve peuter benutten, dat is hij aan zijn onderzoekende aard verplicht. 'Maar hier is eten, althans, het is bijna klaar',

↖ Naar de speeltuin in de oldtimer. Zie het interview op pagina 81.

zegt vader. 'Nee!' 'Wil je uit de stoel?' 'Nee!' 'Wil je dan naar bed, ben je moe?' 'Nee!' Om half elf dribbelt hij nog rond, tot hij huilend op de bank in slaap valt.

Als hij na zo'n weekend thuis komt, is zijn ego bijna in kleine mootjes uit elkaar gevallen. Een deel van hem wil dit, een deel wil dat. Het overzicht ontbreekt en hij is het spoor volkomen bijster. Zijn moeder, inmiddels ervaren, neemt het bundeltje wanhoop over en laat hem eerst maar eens even huilen terwijl ze hem stevig vasthoudt. 'En nu ga je nog wat eten schat.' 'Neeeee!', brult hij en maakt aanstalten voor een trappeldriftbui. 'Je wilt niet eten, dat snap ik wel, maar het moet toch', zegt zijn moeder terwijl ze hem in de stoel tilt en het tuigje vast maakt. 'Nee...', volgt nog zwakjes, maar hij doet zijn mond al open voor het eerste hapje dat er zo vertrouwd uitziet. Hij is een tikje te groot om gevoerd te worden, maar na zo'n weekend is er geen keus. Zachtjes snikkend wordt hij naar boven gedragen, in het vertrouwen dat zijn protesten begrepen maar niet gehonoreerd worden. Het bedritueel volgt. Eerst wassen en tandjes poetsen, pyjama aan, boekje lezen en tot slot twee liedjes. Geen drie. Zijn moeder weet dat hij met ongeveer twee dagen de oude is. Door haar ervaring met de oudste weet ze bovendien dat oudere kinderen iets beter tegen een paar dagen 'non-structuur' kunnen.

Maar niemand kan tegen een leven van non-structuur. Je had gedacht het allemaal heel anders dan je eigen ouders aan te pakken. Het zou losser worden, leuker, vrijer en zonder generatiekloof. Maar nooit stond je erbij stil dat kinderen uit jouw mond willen horen hoeveel snoep ze mogen, hoe vaak ze tv mogen kijken en waarnaar, hoe laat ze naar bed gaan en ga maar door. Wil of durf je hierover geen uitspraken te doen, dan eten ze altijd snoep voor zover aanwezig en geen warm eten; ze kijken altijd tv en roepen vanaf de bank dat ze het in de reclame getoonde speelgoed zo snel mogelijk willen hebben. Ze zullen niet 'ja graag' en 'nee, dank je' zeggen als jij ze dat niet leert.

Kinderen willen niet alleen een grens, maar ook duidelijkheid over die grens. En zelfs duidelijkheid over de uitzonderingen. Dat heb ik geleerd van onze tweede zoon. Als hij bespeurt dat we een uitzondering gaan maken, dat we bijvoorbeeld op ijs trakteren terwijl het geen snoep-, zon-, feest- of vakantiedag is, beginnen zijn ogen te glimmen. De mogelijkheden! Nu de grens even weg is, kan er misschien van alles gebeuren. Wij kennen het mechanisme inmiddels. Als het ijsje op is, vraagt hij met twinkelende ogen of hij nog een ijsje mag. Vandaag kan er kennelijk meer dan anders en vragen staat vrij. Als we zeggen 'Nee, natuurlijk niet lieverd', zijn de rapen gaar en volgt een huilbui. Terwijl hij net een ijsje heeft gehad! En hem het tweede ijsje serveren is uitstel van executie want dan zal hij huilen om het derde of vierde of tiende dat hij niet krijgt. Hij heeft het meeste baat bij de preventieve aanpak: voordat het ijsje komt vertellen dat de verrassing uit één exemplaar bestaat en niet meer.

Het moeilijkst blijkt het voor ouders om onomwonden, voluit, recht toe recht aan 'nee' te zeggen. De wens om een eigentijdse swingende ouder te zijn die zowel door eigen kinderen als de hele buurt, de echtgenoot én de collega's op handen wordt gedragen, is fnuikend. Soms hoor ik ouders op het schoolplein mompelen 'eigenlijk mag dat niet...' Dat werkt natuurlijk niet. We zouden voor de spiegel moeten oefenen, vriendelijk maar beslist: 'Nee, dat mag niet.' En onze bloedjes leren het weer van ons. Als er later een folder op de mat valt later met 'Wilt u geld lenen? Kom bij ons!' Wat zou het fantastisch zijn als onze groot geworden schatten dan rustig antwoorden: 'Nee, dank u.'

En er is nog iets. Het kennen, voelen en ervaren van grenzen is niet alleen veilig, het bepaalt ook of genieten mogelijk is. Op tv zag ik ooit een interview met een drugverslaafde die vertelde hoe moeilijk het leven is na jarenlang gebruikt te hebben. Het grootste probleem was dat hij nauwelijks nog iets voelde. Hij zei: 'Stel dat je een centrum in je hersenen hebt dat je in staat stelt te genieten. Bij gewone mensen is er genot als er met een veertje langs die plek wordt gestreken. Als je drugs gebruikt, sla je met een hamer op die plek. Je geniet hevig, kort, en wil weer. Maar dat veertje voel je niet meer.' Daar moet ik vaak aan denken als het om kinderen en genieten gaat. Soms ben ik bang dat wij in ons oneindig verlangen er voor onze kinderen iets moois van te maken voortdurend met de hamer op het genotcentrum slaan. Pats! Naar de Efteling, naar Disneyland Parijs, naar Walibi. Klats! Een smartphone cadeau, een thema-verjaarspartijtje, een logeerpartij én naar McDonald's. Boem! Een Magnum met nootjes, drie bolletjes Italiaans ijs met slagroom, een milkshake van een halve liter.

En hoe zit het dan met de zandbak, de kinderboerderij, de speeltuin in het dorp, het niet al te dure cadeautje dat oma meebrengt, het partijtje met spelletjes en broodjes met knakworst toe, het waterijsje en de aanmaaklimonade, het voorlezen uit een boekje? Staan we daarmee voor joker? Ik weet dat er kinderen zijn die overal geweest zijn, in alle pretparken. Die thuis de duurste spullen hebben staan, die geen bruin brood met kaas lusten en ook geen feestelijk broodje-knak, geen taart en geen limonade. Waarmee moet je die ooit nog blij maken?

Zelf probeerde ik zo lang mogelijk op het niveau van het veertje bezig te blijven. Ging met mijn peuters naar de zandbak, met zo nu en dan een nieuw vormpje of schepje. Ook fietste ik talloze malen met zo'n heerlijk kruintje van een peutertje in het fietsstoeltje onder mijn neus naar de kinderboerderij. Waar men gratis op een strobaal kan zitten met een cavia op schoot, iets wat voor een van mijn zoontjes tijdenlang het hoogste genot was. Een vriendin nam hem in die periode eens mee naar Artis waar hij vanuit de buggy speurde naar de strobalen en de cavia's. Wat was dit voor waardeloze kinderboerderij? Bij de olifanten begon hij eindelijk te kraaien. Bingo, toch iets wat hij leuk vond aan deze ochtend. Alleen kraaide hij niet naar de olifanten, die hij ook na lang wijzen en aandringen niet leek te zien. Hij kraaide naar een musje dat vlak bij zijn schoenen zat. Direct na dit hoogtepunt viel hij doodmoe van al het vergeefse zoeken in slaap en vertelde thuis over Artis dat er één leuk vogeltje was.

Diarree uit een troostflesje

'De kinderarts H. Hoekstra van het Bosch Medisch Centrum deed onderzoek naar peuterdiarree. Hij ontdekte dat vooral helder appelsap kan leiden tot deze aandoening. Troebel appelsap geeft die klachten niet. Waarom is door het onderzoek niet duidelijk geworden. 'Het lijkt te maken te hebben met de industriële bewerking.' Hoekstra maakt zich grote zorgen over de verschuivingen in het dieet van jonge kinderen. 'Er wordt meer kant-en-klaar voeding gekocht en er ontstaan andere voedingsgewoonten. Zo eet een kind vaak niet meer drie keer per dag gezond aan tafel maar neemt het de hele dag hapjes en drankjes tot zich. Vroeger kregen kinderen 's middags een kopje thee en als ze dorst hadden een glaasje water. Ouders bedoelen het goed, maar er is veel onwetendheid over gezonde voeding voor peuters. De kleintjes hangen in de buggy of voor de tv met het troostflesje in de hand. Ook tandartsen protesteren en proberen hierover voorlichting te geven, omdat de voortandjes van het melkgebit worden aangetast. Soms krijgt het kind dertig tot veertig procent van de voeding via de fles. Ouders klagen dat het kind zo weinig eet, maar de vruchtensappen, waarvan de ouders denken dat ze gezond zijn, zorgen vooral als zij in grote hoeveelheden worden gegeven voor een onevenwichtige voeding. Deze peuters krijgen teveel calorieën, te weinig eiwit en voedingsvezels. Ze zijn soms nog net niet ondervoed. Het gaat niet alleen om appelsap. Kinderen moeten niet teveel sap drinken en een normale gezonde voeding krijgen.' (Uit de *Volkskrant*)

Tanderosie

Een op de vijf kinderen tussen de dertien en zestien jaar heeft er last van: tanderosie. Het probleem is tamelijk dramatisch. Het zuur uit frisdrank en vruchtensap tast het glazuur van het hele gebit aan. Het is een sluipend, niet zichtbaar proces. Het resultaat van jaren frisdrank drinken is dat het glazuur minder hard en dunner wordt, of op een aantal plaatsen zelfs helemaal wegslijt. Kinderen merken eerst dat warme en koude dranken pijn gaan doen aan het gebit, later dat het poetsen ook pijn gaat doen. Aangezien er nog geen oplossing is voor tanderosie, hameren tandartsen op preventie.

Tips tegen tanderosie:

- Drink zo min mogelijk frisdrank (ook geen Breezers of Ice tea). Daarvoor in de plaats water, melk of thee.
- Drink geen kleine beetjes verdeeld over de dag, dat levert steeds een 'zuuraanval' op.
- Snoep én eet ook niet steeds kleine beetjes, eet zo min mogelijk tussendoortjes. Ook in snoep en bepaalde voeding zitten schadelijke zuren.
- Als je toch frisdrank drinkt, sla het dan zo snel mogelijk achterover en laat het niet door de mond gaan.
- Drink frisdrank met een rietje zodat het zo min mogelijk met het gebit in contact komt.
- Spoel na het drinken van frisdrank de mond met water.
- Wacht met tandenpoetsen tot een uur na het drinken van frisdrank. Door het zuur wordt het glazuur zacht, door het poetsen richt je dan juist schade aan.
- Poets wel twee keer per dag, maar niet te stevig en met een zachte borstel.
- Drink frisdrank alleen in het weekend of bij feestjes, of schrap frisdrank helemaal van het menu.

M'n liefje, m'n snoepje

De meeste ouders gunnen hun kinderen een beter gebit dan de kronen en brugconstructies die zij zelf moeten onderhouden. Maar hoe pakken we dat aan? Een schrikbewind met nooit een snoepje, dat de kinderen in de armen van de buren drijft? Of een onderhandelingsstrategie waarbij over elke hap zoet vergaderd moet worden? En wil de omgeving een beetje meewerken?

Ooit las ik op de cover van een kinder-glossy: 'Lees de Witte Tanden Gids!' Tegen mijn gewoonte in kocht ik het tijdschrift, want als er één onderwerp is dat mij aan het hart gaat, is dit het wel. Dat komt omdat ik tot de generatie behoor die met veel kunst-en-vliegwerk en dure ondersteunende constructies het wankele gebit zo'n beetje in stand kan houden. We zullen de kist waarschijnlijk wel halen zonder kunstgebit, maar daar is alles mee gezegd. Van onze ouders, die nu pakweg tussen de zeventig en de negentig jaar oud zijn, hebben er veel een kunstgebit, afhankelijk van de vroegere inkomenspositie.

Mijn moeder vertelde dat het in de jaren vijftig voor jonge dienstplichtigen heel gebruikelijk was om al hun gezonde tanden te laten trekken en zich een gebit te laten aanmeten, enkel en alleen om de reden dat Defensie betaalde. Het gevoel overheerste dat deze maatregel vroeg of laat toch genomen zou worden: dan maar meteen, dan was je ervan af. Haar broers, mijn ooms, deden dat gelukkig niet, waarschijnlijk omdat het onderwijzerssalaris van mijn opa de garantie bood op redelijke tandheelkundige zorg.

Deze zelfde generatie heeft in de oorlog en de schrale jaren erna zoveel lekkers en leuks moeten ontberen, dat ze het ontbrekende gul aan hun kinderen heeft uitgekeerd.

In mijn kindertijd was er altijd snoep. Toffees, lolly's, jam, suiker op brood, in de thee, in de pap, zelfs in de melk. En dan nog de verborgen suikers in koekjes, Liga etcetera. Fluor begon een beetje bekend te raken, maar werd nog niet standaard geadviseerd. Tanden werden gepoetst, maar niet principieel. 'Heb je gepoetst?', riep mijn moeder naar de zolder, maar ze nam genoegen met het ontwijkende antwoord: 'Doe ik zo!' De meest ver gaande aantasting van mijn gebit moet tussen mijn achtste en twaalfde jaar hebben plaatsgevonden. Toen mijn kinderen deze leeftijd bereikten, realiseerde ik me dat het de jaren zijn dat het blijvende gebit doorkomt. Mijn tanden en kiezen probeerden door te komen terwijl ik op een toffee kauwde, daar kwam het op neer. Toch was dat tamelijk gewoon. Tijdens mijn middelbareschooltijd waren er heel wat kinderen met jackets, kronen, zo nu en dan een opgezette wang. Eenmaal brak er bij een klasgenoot een tand af toen hij in een boterham met hagelslag hapte. Dit alles op een gerenommeerd lyceum.

Ook ik doorstond menige zenuwontsteking, opgezet gezicht en urenlange behandelingen. En er begon een plan te rijpen, want het roer moest om. Vanaf het moment dat ik op eigen benen stond en de verantwoordelijkheid voor mijn eigen leven inclusief mijn gebit op me nam, is er nooit meer een gaatje bij gekomen. Het tweede gedeelte van het voornemen was dat mijn kinderen met een gezond gebit op kamers zouden gaan. En daar deed ik alles aan. Zonodig zelfs een dure glossy kopen om eens te kijken wat die over het onderwerp te melden had. Nou, dat geld had ik beter aan iets anders kunnen besteden. De Witte Tanden Gids bleek te bestaan uit een advertorial voor tandenborstels en tandpasta. Leuke borstel in de vorm van een cavia, nu slechts € 12,95. Tandpasta met glitter à € 5,90 per tube. Daarbij het adres van de winkel waar wij een en ander dienden te kopen. En dat was het dan. Geen woord over snoepen. Hoe vaak? Hoeveel? Welk snoep? Of over suiker in de pap. Over verborgen suikers. Zuigflesjes met zoet drinken. Onderhandelen. Grenzen. Afspraken. Poetsen. Fluor. Tandarts. Mijn ervaring is dat het dáár om draait.

Mijn moeder vond het zielig: geen suiker in de pap en in de yoghurt? Het begin vond ik juist heel simpel. Tegelijk met de chloor en gevaarlijke schoonmaakmiddelen werd de suiker naar een hoge plank verbannen. De omgeving reageerde begrijpend. 'Goed hoor, geen suiker, heb ik in het begin ook gedaan. Maar je houdt het niet vol hè...' Nee, jij niet, maar ik wel, dacht ik dan grimmig.

Fruit snoepen

Soms boden winkelmedewerkers zomaar snoep aan. De beleefden vroegen 'Mag hij een snoepje?'. Anderen deden het ongevraagd. 'Oei, dat mag hij niet!', riep ik dan geschrokken, één of andere allergie of ziekte suggererend. Niemand was ooit zo bij de tijd om te vragen: waarom niet?

Op de crèche waar de oudste naar toe ging, deden ze me een wereldidee aan de hand. Eenmaal per week hadden ze daar zoet op brood. Daarop voortbordurend is hier ten huize *Het Snoepbakje* ontstaan, dat eenmaal per week werd uitgekeerd en wel op Snoepdag. Voor het voorraadje dat nodig was om die bakjes te vullen hoefde ik haast nooit iets te kopen. Kinderen krijgen snoep, of ze willen of niet, van de een of de ander, van grootouders, van klasgenootjes. Als ik er op tijd bij was, wrikte ik het vriendelijk maar beslist uit hun handen. Dát is mooi voor Snoepdag! Het effect was verbluffend. Er werd minder gesnoept, veel minder gezeurd en meer genoten. En we bespaarden geld. Hoeveel kan ik bij benadering niet aangeven, omdat ik nog steeds nauwelijks zoetigheid koop. Als ik in de andere karretjes in de supermarkt kijk, die vaak toch wel voor de helft vol liggen met frisdrank, koeken, chips, zoutjes, repen en wat al niet, weet ik dat het om behoorlijke bedragen moet gaan. De tijd van leven die we wonnen doordat we níet dagelijks in onderhandeling moesten, is aanzienlijk. En Snoepdag was een klein beetje feest. De kinderen piekerden: welk zoet beleg? Bij de bedeling van de snoepbakjes vergeleken ze de in-

Goed omgaan met geld?
Begin met goed omgaan met snoep

Net als bij omgaan met geld denken ouders bij snoepen wel eens: ach, het loopt wel los, het komt wel, daar gaan we later nog wel eens over nadenken. Maar ook hier geldt: hoe kleiner het kind, hoe groter de invloed. En het loopt eigenlijk helemaal niet los. Nederlanders zitten wat snoepen betreft in de wereldtop. Per persoon gaat er jaarlijks gemiddeld ruim dertig kilo snoep doorheen. In totaal bestaat 8,5 procent van de voedings- en genotmiddelen uit zoetigheid, vooral biscuits, koek en banket, aldus het studiecentrum Snacks en Zoetwaren. Waarom snoepen we zo veel? Het is natuurlijk lekker. We gunnen onszelf een lekker hapje. Hebben we ook verdiend. Er zijn ouders die vinden dat kinderen er recht op hebben. Of die er nooit over hebben nagedacht. Een goede, relaxte, opgewekte moeder uit de kennissenkring vertelde dat ze haar vier kinderen steeds snoep serveerde, omdat ze zelf ook de hele dag liep te snaaien. Ze vond het zielig om de kinderen over te slaan. Dat is onzin. Als je zelf rookt, serveer je de kinderen toch ook geen sigaretjes, omdat het anders niet eerlijk is? Het gebit van jonge kinderen is nog niet zo sterk. Kinderen moeten extra beschermd worden, geen slechte gewoontes ontwikkelen en al helemaal geen verslaving. Zowel snoep als frisdrank zijn in zekere zin verslavend. Je kunt na goed overleg met kinderen besluiten hoe vaak je snoep uitdeelt en hoeveel. En erop toezien dat ze hun tanden poetsen. Hetzelfde geldt voor frisdrank. Goed overleg, regels opstellen – om de kwalijke gevolgen te beperken – en je er gewoon aan houden. Hiermee lopen je kinderen minder kans op overgewicht, geef je ze een grotere kans op een gezond gebit en leg je een basis voor het verstandig omgaan met geld. Bovendien bespaar je er een vermogen mee.

houd en startten allerlei ruiltransacties. 'Wil jij deze dropjes?' 'Voor wat?' 'Voor een schuimpje?' 'Ha! Mooi niet.' 'Voor twee schuimpjes...?' 'Mwha... OK.'

Zo heb je altijd iets achter de hand om een sombere dag wat op te fleuren. Het is grijs, het regent, de school heeft – ongetwijfeld ten onrechte – straf uitgedeeld en er is ruzie tussen twee rivaliserende groepen klasgenootjes. Weet je wat we doen? We gaan popcorn bakken. Of hartige broodjes. Of voor mijn part zoete. Er ontstaat een samenzweerderige sfeer, want wij doen iets wat normaal niet mag: snoepen zonder Snoepdag.

Broodtrommeltjes

Er schijnen nog scholen te zijn waar het wel meevalt, maar mijn indruk is dat er op de meeste scholen bij het samenstellen van de lunchpakketjes een soort wapenwedloop is ontstaan. Dagelijks gaan mee: enkele boterhammen, één met hartig en één met zoet, een per stuk verpakte koek, reep, Liga of semigezond noten-rozijnen-geval, een pakje zoet drinken en enkele snoepjes. De boterham met hartig beleg kunnen de kinderen meestal niet op.

Het schijnt dat eenderde van de kinderen van zes jaar gemiddeld negen gaatjes heeft. Het verbaast me niets, maar stemt wel droevig. Er is vaak al een stevige basis gelegd toen ze als klein kind te veel en te lang sap of limonade uit zuigflesjes dronken. De zogenaamde *bottle-induced caries* neemt toe. Vanaf het moment dat ze naar school gaan, komen daar de vaak mierzoete lunches bij. Daarnaast is er gebrekkig toezicht op tandenpoetsen op school, als er al gepoetst wordt. Het kan bijna niet anders of cariës neemt weer toe. En dan ook nog die tanderosie.

Jarenlang gaf ik hartig beleg mee in de trommeltjes, een beker melk (na opmerkingen daarover vervangen door een stoere bidon), en een stukje fruit. Tot één van de kinderen vroeg of hij niet ook eens een koek mee mocht. Ik was verbaasd, want

Wat gaat mee: lunchpakket A of B?

Lunchpakket A (op z'n duurst)

3 boterhammen (à 12 ct, luxe brood € 2,59)	€ 0,39
15 gram kaas (à € 12,90/kg, gesneden)	€ 0,19
15 gram luxe vleeswaren (à € 1,80 per ons)	€ 0,27
15 gram Nutella (€ 2,29 per 400 gr)	€ 0,08
1 pakje Sultana (€ 1,49 per 5)	€ 0,30
1 flesje smoothie	€ 1,99
1 kiwi	€ 0,50
Totaal per dag	**€ 3,72**

Bij 4 dagen per week en 40 schoolweken per jaar, gedurende 10 jaar (van 4 tot 14 jr) is dat **€ 5.952,-**.

Lunchpakket B (voordelig en net zo gezond)

3 boterhammen (brood € 0,99)	€ 0,15
15 gr kaas (à € 3,79/kg)	€ 0,06
15 gr boterhamworst (€ 0,45 per150 gram)	€ 0,05
15 gr appelstroop (à € 0,69 per 350 gr)	€ 0,03
1/2 liter melk (à € 0,69 per liter)	€ 0,35
1 stuks fruit (mandarijntje 0,10 ct appeltje 0,10 ct)	€ 0,10
2 x per week een zelf verpakte koek à € 0,51/400 gr, per portie € 0,038	€ 0,08
Totaal per dag	**€ 0,84**

Bij 4 dagen per week en 40 schoolweken per jaar, gedurende 10 jaar (van 4 tot 14 jr) is dat **€ 1.344,-**.
De grootst mogelijke besparing is dus **€ 4.608,-** per kind in 10 jaar. Een besparing van € 3.000,- is al snel haalbaar. Waarmee de rijles betaald kan worden.

Bespaar € 4.608

hij is niet eens erg dol op zoetigheid. Wat bleek: in de pauze inspecteren de kinderen elkaars trommeltje en ontstaat er een levendige ruilhandel. Wat een ander mee krijgt, is natuurlijk lekkerder dan dat duffe trommeltje van jezelf. Hij wilde ook wel eens met een aanbieding komen. Had hij iets aan af en toe een koek mee? Jazeker, daarmee was hij dik tevreden. Hij versterkte zijn stoere image juist door de koek steevast weg te geven, en er niets voor terug te hoeven.

Ook dit systeem werkte jaren naar wens. Heel af en toe een koek, waarmee ze blij verrast zijn. En een mogelijkheid voor de machteloze moeder de dag een beetje op te leuken als dat eens nodig mocht zijn. Wat onmogelijk is geworden als je kind dagelijks iets zoets mee krijgt. Of je moet een heel pak meegeven, wat trouwens ook al voorkomt.

Tv aan, kind uit

'Mam, mag ik bij Kevin spelen?' Even kijken, dat vraagt hij namelijk voor het eerst. 'Hallo moeder van Kevin, ik begrijp dat de jongens een afspraak hebben?' Zo begint menig speelpartij. En het eindigt ongeveer zo: 'Hallo lieverd, hoe was het bij Kevin?' 'Leuk'. 'Wat heb je gedaan?' In de meeste gevallen krijg ik een antwoord als: 'Nou eerst met de Knex, toen Lego, en toen met z'n skelter, maar toen ging het regenen en toen hebben we een tekening gemaakt.' Maar na de speelpartij bij Kevin krijg ik als antwoord: 'Euhh... *Pokémon*, en *Scooby Doo*, en een robot en die was eerst aardig en toen was ie slecht geworden en toen moesten ze hem vernietigen en...' 'Ja, ik hoor het al, heb je ook nog iets anders gedaan dan tv kijken?' 'Ja, we hebben een Mars gekregen en een Shake-o-drink. Dat is leuk mam, dat

Tv kijken

moet je in de chocolademelk spuiten en dan komen er belletjes in. Ik wil dat ook wel eens! Ga je dat kopen mam?' 'Misschien een keer als je jarig bent schat.'

In stilte is mijn besluit al genomen. De volgende keer zeg ik ja als de vraag komt of Kevin bij ons mag, maar als mijn zoon nog eens daar wil spelen, zullen we helaas verhinderd zijn en dringend om een boodschap moeten. Dat ongelimiteerd en ongecontroleerd tv kijken zie ik namelijk als diefstal van leven. Als je tv kijkt doe je niets, is mijn stelling, het is een staat van schijndood of bewusteloosheid. Je rust niet zoals in je slaap, je bent niet actief met je spieren zodat je energie verbruikt, je leert niets waar je hersenen nog iets aan zouden kunnen hebben. Integendeel, de onderzoekers staan op het punt aan te tonen dat veel voor het tv-scherm zitten een soort sponsachtige massa maakt van de hersenen, met onverklaarbare gaatjes. Je bent niet lief, je bent niet vervelend, kortom: je bent er niet.

Ik hoor al roepen dat het wel uitmaakt waarnáár je kijkt. Goed. We onderscheiden de categorieën KNEK (kan niet echt kwaad), waaronder *Sesamstraat*, *Klokhuis*, het *Jeugdjournaal*, en enkele andere programma's. Het is een glijdende schaal die langzaam overgaat in NGNS (niet goed, niet slecht) waar we slappe remakes aantreffen, flauw, kinderachtig maar onschuldig zoals *Zorro*, *Skippy*, *Flipper* en *Thunderbirds*. Dan de categorie TROEP die wat mij betreft door een verbod getroffen zou moeten worden.

Dat kinderen van tv iets zouden leren, blijkt alleen op te gaan als de ouders meekijken en er samen met het kind over praten. Dit nu – wees eerlijk – gebeurt zelden of nooit. Dat kinderen alléén kijken en van categorie KNEK opeens in TROEP belanden gebeurt voortdurend, en dat is wat ik bedoel met ongecontroleerd kijken. De controle kun je eventueel met de oren uitoefenen: een getraind oor kan vanuit de keuken wel onderscheiden of de programmering uit de KNEK is geraakt. Sta je trouwens in de keuken terwijl je kinderen voor de tv zitten, dan gaat je argument dat je gerust kunt laten kijken omdat ze er wellicht iets van opsteken niet op. Je kijkt immers niet samen.

Erger is het ongelimiteerd kijken. De tv staat altijd aan en kinderen zitten er als een zuignap aan vastgeplakt. Als je hun naam roept, krijg je geen reactie. Als een zombie wandelen ze naar het toilet, werktuiglijk en zonder genot snoepen ze. Het allerergste is het narcose-kijken. Dit is het tv kijken van kinderen in opdracht van de ouders. Ouders hebben genoeg van het gegil, geren en gespeel en zeggen: 'Ga maar even tv kijken.' Toegegeven: het werkt feilloos. Ik heb ook wel eens naar dit middel gegrepen, ik beken het eerlijk, toen een verjaarsfeestje uit de hand begon te lopen. Als beginneling dacht ik dat het de kinderen goed zou doen als ze hun drukheid eerst konden uitleven. Ik organiseerde een stoelendans met keiharde muziek, gillen, schreeuwen en uiteindelijk ruzie. De geest was uit de fles en het lukte mij niet eens meer boven het getier van de feestgangers uit te komen. Toen heb ik het narcose-kijken toegepast. Ik zette de tv aan en het wonder gebeurde: tien grote kleuters werden stil, ontspanden hun spieren, en lieten hun balsturige geest opslokken door de toverkast. Achter de schermen friste ik mij op, slikte wat valeriaan, liet mijn schouders

Patti Valkenburg, hoogleraar Media, Jeugd en Samenleving, vindt dat ouders meer bagage moeten hebben bij het begeleiden van hun kinderen in het mediatijdperk. Ze zouden bijvoorbeeld meer moeten weten over de effecten van tv-programma's. Om die reden heeft ze een fase-theorie ontwikkeld, die laat zien op welke leeftijd kinderen openstaan voor bepaalde invloeden. De manier waarop ze mediagedeld verwerken, blijkt cruciaal voor de morele ontwikkeling. Haar boek *Beeldschermkinderen* is online te lezen: www.kijkwijzer.nl/upload/ps/565_Beeldschermkinderen.pdf

masseren, en betrad het strijdperk weer zo fris als een hoentje. Daarna ging de tv uit en het volgende feestonderdeel werd aangekondigd aan de kleuters, die nu zo mak als een lammetje waren.

Het narcose-kijken mag natuurlijk alleen in levensbedreigende situaties gebruikt worden, en niet vaker dan tweemaal per week. Bovendien moet de ouder die naar het middel grijpt de formule fluisteren 'tv aan, kind uit'. Dit om je ervan bewust te zijn dat je op dit moment de kinderen eigenlijk even niet wilt hebben en ze dus tijdelijk uitschakelt. Merk je dat de formule elke dag uit je mond rolt, dan kun je bij jezelf nagaan wat het precies is dat je hindert in het gedrag van de kinderen. Het lawaai dat ze produceren? Soms kan een preventief gesprek goede resultaten geven. 'Zouden jullie het komende uur voor mij zachtjes willen doen? Ik heb erg veel last van het lawaai.' Kinderen zijn vaak best bereid aan je wensen tegemoet

Al in 2002 verscheen in het blad *Science* de uitkomst van een langlopend onderzoek naar het verband tussen televisie kijken en agressie. De uitkomsten zijn ondubbelzinnig: hoe langer kinderen tv kijken, hoe groter de kans dat zij zich te buiten gaan aan agressie. Van de kinderen die op veertienjarige leeftijd minder dan een uur per dag televisie keken pleegde 6% enkele jaren later een gewelddaad. Van de groep die een tot drie uur per dag tv keek, bezondigde 18% zich aan agressief gedrag. De echte tv-verslaafden, die meer dan drie uur per dag keken waren het ergst: een kwart maakte zich schuldig aan geweld. De uitkomsten zijn gecorrigeerd voor factoren als sociale afkomst en psychologische problemen. Volgens veel wetenschappers is dit het moment om te stoppen met twijfelen: het verband tussen mediageweld en agressief gedrag is keer op keer aangetoond. (Volkskrant, april 2002) te komen, mits je ze niet op beschuldigende toon kenbaar maakt. Of zijn er alternatieven voor de tv? Zo kan de tv wat vaker UIT blijven, en de kinderen vaker AAN.

Joep ('86) kijkt terug

Waar andere kinderen vaak eindeloos tv keken, bleef het bij ons beperkt tot programma's als Sesamstraat of Klokhuis. Op een regenachtige middag gebeurde het wel eens dat we ons verveelden, maar dat leidde bijna altijd tot creativiteit: we verzonnen leuke spelletjes. Ook nu kijk ik – buiten actualiteitenprogramma's om – weinig tv. Ik weet bijna altijd wel iets leukers of nuttigers te verzinnen dan een avondje naar een beeldscherm staren.

Terugkijkend

Het is duidelijk dat voorgaande is geschreven in het pre-padtijdperk. Tegenwoordig worden kinderen zoet gehouden met een spelletje op de smartphone of tablet van de ouders. Wat ik vertelde over narcose-kijken geldt niet voor het spelen met een tablet. De spelletjes, ook voor de allerkleinsten, zijn door de ouders gedownload en uitgekozen. Ze zijn vaak mooi vormgegeven, en dagen kinderen uit kleine slimme stapjes te maken. Ook worden ze niet onderbroken door reclame. Sinds kort pas ik regelmatig op een buurjongetje, dat bijna 2 jaar was toen we elkaar leerden kennen. Ik kreeg een *timetable*, precies zoals ik ze zelf vroeger maakte, met hoe laat er wat gedaan of gegeten moest worden, aangevuld met talrijke waarschuwingen. Aan het eind van de middag mag deze schattebout, als hij moe is, even op de tablet. 'Hij kan hem zelf aanzetten en een spelletje kiezen' stond er. Nog geen twee jaar! Uit pure nieuwsgierigheid heb ik die tablet een keer gegeven, en verdomd, daar ging hij met die minivingertjes. Tip, tap, swipe, swipe, vergroten... Deze ouders gebruiken het als één van de vele speelmogelijkheden. Niet te vergelijken met tv kijken, omdat het tot actie aanzet.

Vervelen

Ooit plaatste een columnist van de Volkskrant een wanhopige oproep. De man schreef leuke, licht ironische stukjes over zijn gezin met jonge kinderen. In het weekend had zich een probleem voorgedaan: de film die het gezin in de bioscoop zou gaan bekijken, was uitverkocht. Het regende pijpenstelen en er was geen programma. De vader had zo'n beetje gepreekt dat er niets aan te doen was en hij deed een beroep op de kinderen om met een alternatief te komen. De oudste zoon stelde wandelen voor, maar dit werd vanwege de regen afgewezen. De voorstellen die vader deed, vonden geen genade in de ogen van de kinderen en die werden daarop voor straf naar hun kamer gestuurd. De oproep luidde: wat voor leuks hadden wij dan moeten gaan doen?

Het zette mij aan het denken en ik schreef:

'Ten eerste zou ik ideeën die kinderen zelf aandragen honoreren. Waarom was het idee van de zoon om te gaan wandelen afgewezen? Ik heb drie toetsvragen bedacht om een plan te beoordelen. In volgorde van belangrijkheid: Is het gevaarlijk? Kost het geld? Veroorzaakt het overlast? Zo nee, dan mag het. De punten kunnen elkaar min of meer compenseren. Iets kan een klein beetje gevaarlijk zijn (kans om ziek te worden), maar als het daarentegen niets kost en nauwelijks overlast veroorzaakt, dan heb je goede kans dat het mag. Het plan om in de regen te gaan lopen, zou volgens deze toets kunnen doorgaan. Wat is er mis met nat worden? Om het plan nog iets aantrekkelijker te maken zou ik nog wat tegengas bieden. 'Dat wordt wel een geklieder straks bij de achterdeur... dus...' 'Aaaaah mam, wij helpen wel opruimen!' Vast wat handdoeken op de verwarming leggen voor als ze terugkomen. Misschien warme chocolade maken (of ga ik nu te ver?). Na het drinken een warme douche, meteen haar wassen, het is toch zondag.

Ten tweede: even teleurgesteld zijn als iets niet doorgaat en zo snel geen alternatief hebben is geen ramp. We zijn een beetje verslaafd aan verantwoord, cultureel, spannend, bewust en wat al niet bezig zijn. Onze jongste zoon mag, als nog niet leerplichtige kleuter, één keer per week kiezen wat hij wil: naar school of een snipperdag. Tot nu toe kiest hij nog vaak voor het laatste. Ik ga gewoon mijn gang, ben bezig. Hij heeft niet altijd direct een plan. Soms gaat hij plat op zijn rug op de keukenvloer liggen, naar het plafond staren. Het is overigens een volstrekt normale kleuter. Ik ga verder met mijn dingen en stap voorzichtig over hem heen.'

Lekker gespeeld in de regen

Aan de oproep van de columnist was een soort prijsvraag verbonden. In zijn volgende column werd vermeld dat er moeders waren geweest die dachten dat kinderen zelf een oplossing zouden kunnen vinden. Zijn probleem was dat dit op die zondagmiddag juist niet lukte. Het winnende idee was: Zoek uw ooit aangeschafte videocamera die ergens ligt te verstoffen en ga een speelfilm maken. Er waren ongeveer honderdvijftig inzendingen met het idee iets te gaan bakken of koken. Dat vervelen gewoon tot de mogelijkheden behoort, is kennelijk nog een brug te ver. Laat staan dat we er de voordelen van inzien.

Wat zijn die voordelen van vervelen? Na vervelen komt spelen. Als het zuivere proces van vervelen niet wordt verstoord, wordt er een idee geboren. Deze zuivere vorm is herkenbaar aan het zitten of liggen, de hangerige houding, een vage ontevreden trek. Het vanuit vervelen tot spelen komen is een kwetsbare zaak. Als het kind meldt dat het zich verveelt, is het in een kritieke fase. Jouw reactie is nu van het grootste belang. Niet zeggen 'Waarom ga je niet lezen?' Geen semi-leuke suggesties doen in de trant van: 'Ga je kamer maar eens opruimen.' Een eenvoudig 'hm' of 'dat zie ik', is voldoende. En wat het allerbelangrijkste is: ‘Nee, de tv mag nu niet aan, en we gaan niet direct op de iPad.

Toen ik op een lezing mijn verhaal over consuminderen met kinderen had gehouden en een mevrouw tot zich liet doordringen dat mijn kinderen slechts eenmaal per week snoep krijgen en dat overdag de tv niet aan gaat, vroeg zij paniekerig: ‘Wat mogen die kinderen bij jou eigenlijk wèl?’ Ik moest denken aan mijn vroegere buurman, normaal altijd vrolijk, maar nu somber klagend dat hij door zijn geliefde vrouw op dieet was gezet. ‘Ik krijg geen bier meer, en moet je die lunch zien! Brood met een blaadje sla!’ (met een gezicht alsof er zojuist iemand op zijn boterham gepoept had). ‘Vind jij mij nou dik?’ Hij sjorde zijn trui omhoog. ‘Ik heb alleen een ring van zelfvertrouwen. Ha!… als ze nou ook nog stopt met onze grootste hobby dan ben ik weg hoor.’ Dat laatste was grootspraak, want ze hebben een goede relatie en zijn nog steeds bij elkaar.

Kinderen, zou mijn vroegere buurman denken, hebben wel erg weinig. Alcohol is taboe. En aan de grote bliksemafleider van het leven – de seksualiteit – zijn ze, als het goed is, nog niet begonnen. En dan mogen ze ook nog maar beperkt snoepen, computeren en tv kijken... Maar kinderen hebben iets wat dat alles goed kan maken, iets wat wij niet meer doen in onze race om een aanvaardbaar inkomen: kinderen spelen. Dat heb ik dan ook aan de vragende mevrouw op de lezing geantwoord. Want als je als kind al je levensenergie moet besteden aan zeuren, onderhandelen en jengelen over meer snoep, of als je speelse geest voortdurend in een staat van lichte bewusteloosheid wordt gebracht door tv kijken, bezig zijn op tablet of computer, dan ben je het spelen ook nog kwijt. Bier drinken, snoepen, gamen en verslaafd zijn aan

Spelen met niks

Oldtimer op LPG

Dave Hanzen (38), docent, Noël Sannen (37), zwanger van een zesde kindje. Merel (18, niet op de foto), Swaen (9), Raven (7), Fee (4) en Storm (bijna 2).

Noël Sannen: 'We gaan binnenkort onze auto wegdoen want we gebruiken hem minder dan een keer per maand. Heb je toch een grote auto nodig, koop dan een oldtimer – veertig jaar oud, blijft belastingvrij – op LPG. Je bespaart dan veel geld'. De auto bleef nog vaker staan na de verbouwing van hun tuin, die ze op aanwijzingen van hun kids hebben uitgevoerd. Nu is er een giga zandbak/speelkuil, een boomhuthuisje en een huisje met tuintje voor hun twee varkentjes Knofje en Flut. Noël: 'Maak je huis en tuin zó leuk dat kinderen niet naar een duur pretpark hoeven. Mocht je toch eens ergens anders willen spelen, ga dan naar Irrland, bij Kevelaar in Duitsland. Een echte SPEELtuin, waar bij ons de hele familie blij van wordt. En heel goedkoop!'

YouTube kunnen je hele volwassen leven vullen, spelen kan alleen als je een kind bent. En daarvoor moeten volwassenen de weg vrijmaken.

Spelen

Mijn moeder zei altijd: 'Het leukste speelgoed is geen speelgoed.' Zij gooide een wc-rol in de box (waar je doorheen kunt kijken en waar je hand een stukje in kan), een lege Liga-doos (die je uit elkaar kan halen en verscheuren), een pollepel (waarmee je op de houten rand van de box kunt slaan) en een oud tijdschrift. Ik herinner me een defecte reus van een telmachine waarmee wij eindeloos winkeltje speelden, een antieke typemachine, en het spel dat 'grensje' heette, waarbij het tuinhek (de grens) en de sluiting van dat hek (om kaartjes mee te knippen) een belangrijke rol speelden. Natuurlijk waren er blokken, boeken, Lego en ander tamelijk verantwoord speelgoed te over, maar de beste herinneringen bewaar ik toch aan de verkleedpartijen (met in de verkleedkist de trouwjurk van mijn moeder!), het bouwen van hutten met oude dekens en gordijnen en het grens-spel. Ook het crossen op een bouwterrein in de buurt had iets wilds en verbodens, evenals het spelen in de buurt van een onbewaakte treinoverweg. Ik durf het bijna niet te schrijven uit angst dat kinderen dit lezen en gaan nadoen, maar wij legden ons oor op de rails (zoals we in indianenboeken hadden gelezen) om te horen of er een trein aan kwam. Ook legden we muntjes op de rails die we na het voorbij razen van de trein geplet, vervloeid en wel probeerden terug te vinden.

Het bouwen van hutten kende vele variaties. Zo was er de binnenhut, geschikt bij regen, die meestal onder de huiskamertafel werd ineengeflanst, maar ook wel eens op een andere plaats met een wasrek als basis. Op zolder waren andere hutten te bedenken, achter het schot waar in de oorlog heus mensen verborgen hadden gezeten, waar wij romantisch over gingen zitten piekeren. Bij goed weer was er de hutachtige tent buiten op het gras of bij de schuur. Maar de mooiste van allemaal was de balkonhut. De badkamer kwam uit op een klein balkon, omgeven door een met gaas bekleed hekwerk, en overspannen met waslijntjes. Als je een deken over die waslijntjes legde, had je al een dak. De wanden werden met wasknijpers bevestigd. Het speciale van deze hut was het uitzicht: tussen de lappen door konden we de grote mensen in de tuin of op het platje bespieden. Wij speelden dat wij arme kinderen waren, dat wij in een huifkar zaten op weg naar de volgende armzalige bestemming. Een foeilelijke plastic papegaai op een stok, ooit op de kermis gewonnen, gaf aan dit spel een circusachtige sfeer en moest altijd meedoen.

Mijn moeder hielp mee op vele manieren. Door het goed te vinden. Door drinken in een veldfles en brood ter beschikking te stellen dat we in de hut of 'huifkar' mochten nuttigen. Door zich bij het werken in de tuin geduldig te laten bespieden en daar zogenaamd niets van te merken. Door het goed te vinden dat de hut wel eens een dag mocht blijven staan, zelfs midden in de kamer. Door te zorgen voor oude lappen en knijpers, en waarschijnlijk ook door zonder klagen de boel weer op te ruimen als wij uitgespeeld waren, want van moeten opruimen herinner ik mij niets. En of deze *laisser faire*-instelling nu voortkwam uit oprechte tolerantie of uit gebrek aan tijd en teveel andere dingen aan haar hoofd, doet niet ter zake. Het effect was dat we konden spelen, uren, dagen, jaren lang. Ook de verkleedkist met trouwjurk, tasjes, hakschoenen en hoeden moet door haar zijn samengesteld en zo nu en dan ververst.

De situatie toen was dat de volwassenen hun eigen gedoe hadden en niet teveel tijd hadden voor de kinderen. Ze waren bereikbaar, in de buurt, maar niet uitgebreid beschikbaar. En ze voelden zich daar absoluut niet schuldig over. Achteraf denk ik dat dit zo'n beetje ideaal was.

Tegenwoordig gaat het anders. De meeste ouders werken. De tijd die ze samen met hun kinderen doorbrengen, zit vol huishoudelijke en andere noodzakelijke klussen, en daar voelen ze zich schuldig over. Regelmatig proberen ze de kinderen toch aandacht te geven, en gaan er nu eens echt drie minuten voor zitten, waarna de kinderen nors melden dat het leuk op school was en verder weigeren iets los te laten. Ook komen ouders regelmatig binnenlopen bij het spelen, je ziet die kinderen toch al zo weinig, en bieden aan te helpen. Zo heb ik zelf eens, half over mijn toeren van alles wat ik nog moest doen, de kinderen bezig gezien met het maken van een hut bij ons klimrek. Ik vond het zo'n armzalig gestuntel dat ik de kinderen aan de kant joeg: 'Deze lappen zijn ook veel te klein, en haal eens wat meer knijpers, snel,' wat in vijf minuten een keurig bouwwerk opleverde. Dat is alleen geen helpen, maar spelbreken. Na een kwartier kwam de oudste binnen en zei, voorzichtig mijn stemming peilend: 'Mam, je moet niet boos worden, maar we wilden een andere hut.' Ook kinderen willen rust en privacy. Later zag ik ze innig tevreden in een scheef hangend geval met veel open plekken zitten te keuvelen. Gelukkig dacht ik er aan ze wat proviand aan te bieden. Iets eten en drinken in een hut blijft erbij horen.

Ook met verkleden bemoeide ik me, in mijn ijver, wel eens teveel. Tegenwoordig mogen kinderen regelmatig verkleed naar school: als juf of meester jarig is, of op andere dagen. Veel collega-ouders hebben voor die gevallen een outfitje aangeschaft bij de feestwinkel: een *Batman* of indiaan, elfjes, prinsesjes. Onze verkleedkist was echter volgens traditie gevuld met gekke oude kleren. Uit deze berg lorren konden we een uitstekende clown samenstellen, compleet met rode neus en grote schoenen, waarmee onze kinderen geen slecht figuur sloegen. Dat vonden ze zelf ook. Maar nadat ze zeven keer op diverse gelegenheden als clown waren verschenen, begon mij op te vallen dat de meeste kinderen verschillende pakjes hadden. Zou men nu niet denken: daar heb je hen weer met die clown? Ik haalde bij de volgende gelegenheid mijn zoontje over het eens als zeerover te proberen, want die was uit onze kist uitstekend samen te stellen. Een ooglapje zette ik op de naaimachine in elkaar, een hoed met doodshoofd, een broek met scheuren en een getekend litteken had ik zo geregeld. Zelf aarzelde hij wel erg lang bij de spiegel. En bij de deur van school sloeg zijn twijfel om in vastberadenheid. Hij hield zich zelfs stevig aan de post vast: hij ging níet als zeerover. We zijn samen terug gelopen en hebben hem in gewone kleren omgekleed. Clown wilde hij ook niet meer: ik had immers gezegd dat hij dat nu al zo vaak had aangetrokken. O hemel! En ze nemen het je in hun liefdevolle loyaliteit nog niet eens kwalijk ook...

Gijs (1991) kijkt terug

Als ik terugkijk in foto-albums, denk ik: mijn jeugd was toch wel heel leuk. Er was altijd wat te doen: we hadden een boomhut met slingertouw, een klimrek, een wigwam, tekenspullen, een verkleedkist en super veel kinderboeken. Ik dacht soms dat vriendjes het beter hadden omdat ze naar de Power Rangers mochten kijken en veel snoep en frisdrank kregen. Achteraf vind ik het veel waardevoller dat ik ben opgegroeid met Annie M.G. Schmidt en 'Villa Achterwerk'. En omdat we niet snoepten heb ik nu een gezond gebit zonder gaatjes.

De lol van vakantie

Mijn klasgenootjes waren jaloers op me: ons gezin bezocht al kamperend ongeveer elk Europees land, bezichtigde langdurig elke Romeinse kerk; geen Alp of wij stonden er ooit bovenop; van Italië tot Denemarken reden wij van camping naar camping. En ik was jaloers op mijn klasgenootjes. Na de vakantie, die voor mij onoverzichtelijk lang had geduurd, bleken er thuis feestjes gevierd te zijn en allerlei vakantie-activiteiten georganiseerd waar het zo te horen erg leuk was geweest. Die had ik allemaal gemist. En was ik nou zo'n ontevreden kind dat altijd iets anders wil dan wat het aangeboden krijgt? Integendeel.

Ik haalde een kartonnen doos in de campingwinkel en probeerde een soort kastje te maken voor mijn kleren. De rommelige tent wilde maar niet in een gezellig huisje veranderen. Je laarzen regenden vol en – o gruwel – soms kropen er slakken in, die je dan de volgende ochtend met je voet plette, uitsmeerde en weer uit je laars moest zien te krijgen. Ik kampte al met een vaag gevoel van heimwee, maar op zulke momenten zou ik alles gegeven hebben om naar huis te kunnen en mijn schoenen onder in een stevige kast te mogen zetten.

Achteraf blijkt dat er flink wat mensen zijn die tijdens de vakantie worden geplaagd door aanvallen van verdriet en wanhoop. Bij de ANWB-alarmcentrales werken zelfs psychiaters die dolgedraaide vakantiegangers helpen repatriëren. In een interview met zo'n psychiater las ik dat zijn indruk was, dat veel mensen torenhoge verwachtingen hebben van de vakantie. Ze werken te hard, op het laatst véél te hard: want in de vakantie rusten we wel uit. Sterker: dan gaan we GENIETEN. Tegen de tijd van vertrek balanceert men op de rand van overspannenheid of erger. Daar komt de vakantiestress bovenop. Hebben we alles ingepakt? Nee, natuurlijk is er weer het nodige vergeten. Zijn de huisdieren in goede handen? Een lid van de achterblijvende familie wordt plotseling in het ziekenhuis opgenomen. En dat wordt niet gedekt door de annuleringsverzekering. Toch gaan? Het geld gewisseld? Of juist ter plaatse wisselen, want voordeliger? Paspoort verlopen! En waar is het boekje *Wat en hoe in het Tsjechisch*? De keurig uitgestippelde route blijkt afgesloten, opgeheven of over het hoofd gezien en de ruzies in de auto worden onverkwikkelijk. De camping, het hotel en het weer vallen tegen. Voeg hierbij een tweedegraads verbranding of een gevalletje buikloop dat de weerstand verder ondermijnt. Ook de buurtent maakt ruzie of bedrijft juist luidruchtig de liefde. Als je denkt te kunnen gaan slapen, zit je tent vol insecten.

Toen ik kinderen kreeg, meende ik de eerste tijd vrijgesteld te zijn van de plicht tot vakantie vieren. Al reisden collega-ouders er lustig op los, baby of geen baby. Gelukkig vonden mijn partner en ik elkaar in onze zucht naar huiselijkheid. In de eerste vier jaren van de oudste richtten wij ons op zandbak, teiltje water en kinderboerderij. Geen klacht kwam over zijn lippen. Toen wij een caravan in de bossen kochten, was hij echter verrukt. Een campingterrein biedt namelijk iets wat aan hedendaagse kinderen wordt onthouden: vrijheid. Door de afwezigheid van snelrijdend autoverkeer en de aanwezigheid van vaste gasten en familie kan het kind scharrelen als een everzwijn op de Hoge Veluwe. Hutten bouwen, opereren in bendes, zwemmen en weer opdrogen, en op gezette tijden de voederplaats bezoeken. De boswachter-moeder smeert stapels brood en geniet, want de kinderen genieten van het semi-wilde bestaan. En vlak het genoegen van de vertrouwde plekjes niet uit. Vorig jaar vonden we daar een kikker en in het achterbosje een dode muis. Zou Jasper er weer zijn? Door de vertrouwdheid gecombineerd met de grotere vrijheid leken ze elk jaar op de camping ineens een stuk te groeien, in alle opzichten. Tot de dag komt dat de oudste zegt dat hij eigenlijk wel eens naar het buitenland wil.

Weemoedig kijken we elkaar aan. Voorbij de tijd van de eenvoudige vakanties. Maar ook worden we ons bewust van iets anders. Het lijkt erop dat een gezin ook een soort leeftijd heeft; het groeit mee met het oudste kind. De oudste gaat naar de middelbare school, en het hele gezin is toe aan weer eens iets anders.

Goed. We hebben een vermogen uitgespaard door tien jaar gezellige soberheid. Hoe lang gaan er nog kinderen met ons mee op vakantie? Dus zeiden we volmondig: OK! Dan gaan we leuke voordelige buitenlandvakanties bedenken. We gingen naar Tsjechië, een groot avontuur en gelukkig ook... een groot succes. Maar onze jongste van amper zes bevestigde dat het beleid van de afgelopen tien jaar nog zo gek niet was. Toen we na twee slopende dagen, duizend kilometer rijden, gedoe over de paspoorten aan de grens en een overnachting in een hotel eindelijk de uitgezochte camping opreden, zei hij na een korte inspectie: 'En wanneer gaan we nu naar vakantie?'

Kamperen in eigen tuin

Gijs (1991) kijkt terug

We gingen niet vaak op vakantie naar verre landen, maar naar een chaletpark van mijn oom en tante genaamd Kraneven. Omdat we daar vaak heen gingen in de zomer, dacht ik dat 'vakantie' een ander woord voor Kraneven was. Toen we een keer daadwerkelijk op vakantie zijn gegaan naar Tsjechië vond ik dat maar vreemd en vroeg aan mijn ouders wanneer we nou op vakantie zouden gaan. Ik vond Kraneven veel fijner. Er werd wel veel bezuinigd maar zeker niet op alles, er was altijd geld voor leuke cadeaus en verjaardagspartijtjes, onze hond Bobbie, alles wat met onze studies te maken had, en rijlessen.

Uitstapjes

Voor je het weet, geef je aan een dagje-uit honderden euro's uit. De lol is niet altijd evenredig aan de prijs; integendeel. Er zijn veel mogelijkheden om de kosten te drukken. In de eerste plaats: het preventief nadenken over het nut van een overvloed aan drukke, prikkelende uitdagende tochtjes. Je kunt je afvragen of kinderen voldoende rust krijgen en of er nog ruimte is om te spelen, te tekenen of te niksen. Ook is het goed eens stil te staan bij de gedachte voor wie we dit nu allemaal op touw zetten. Vinden we het zelf leuk, doen we het voor de kinderen of willen we aan de omgeving laten zien dat we verantwoord cultureel bezig zijn?

Vervolgens is het nuttig om je, voor het seizoen begint, te verdiepen in leuke voordelige uitstapjes die ook nog eens dicht in de buurt zijn. Want een groot deel van de kosten van uitstapjes hangt samen met de reiskosten. De eerste besparing pak je door leuke mogelijkheden te zoeken die dicht in de buurt zijn. Je kunt een dag op pad in de dichtstbijzijnde stad, of zelfs in je eigen woonplaats, en je daar eens helemaal als toerist gedragen. Je bespaart ook door broodjes, drinken, fruit en lekkers zelf mee te nemen. Drinkpakjes blijven onderweg koel als je ze een dag van tevoren in de vriezer legt. In plaats van dure souvenirs te kopen kun je, met kinderen, vooraf vast op internet kijken en zo de voorpret vergroten. Je kunt ze tijdens het uitstapje plaatjes, kaartjes, folders, ijsstokjes, steentjes, veertjes en dergelijke laten verzamelen. De kinderen kunnen de dag ná het uitstapje dan een verslag maken en al hun trofeeën erbij plakken, later aangevuld met foto's. Ze zijn weer een dag aan het knutselen, ze hebben écht een leuk aandenken en kunnen er later een spreekbeurt over houden. Of doe eens iets uitzonderlijks: ga bijvoorbeeld fietsen naar het strand, of een andere attractie die op de fiets bereikbaar is. Het duurste van een dagje strand is vaak het parkeren. De reis in een hete auto is ook geen pretje. Ook kinderen kunnen best een redelijke fietstocht maken. Kleintjes kunnen achterop, iets grotere kunnen bij vermoeidheid geduwd worden. Besteed minstens een dag aan de voorbereiding. Kijk met kinderen op de kaart. Of maak zelf een kaart met oriëntatiepunten waaraan kinderen kunnen zien hoe ver je bent: een brug, een molen, een spoorwegovergang, etc.

Uitstapje naar boekenschatkamer

Voor de eerstvolgende druilerige-dag-zonder-bestemming, het volgende plan. Schat in hoeveel geld jullie gemiddeld besteden aan een mediumluxe uitstapje. Neem bijvoorbeeld het bedrag van de afgelopen druilerige dag. Was het 50 euro of nog veel meer? Terwijl de ouders rekenen, maken de kinderen een lijst met daarop hun naam, leeftijd, hun favoriete boeken en schrijvers. Ook schrijven ze op of ze van lezen houden en of ze net zo goed kunnen lezen als de rest van de klas. Grote kinderen interviewen kleine die nog niet kunnen schrijven, en moeten bij 'lezen' denken aan 'voorlezen'. Na de lunch ga je met het lijstje naar de dichtstbijzijnde kinderboekwinkel (www.kinderboekenwinkels.nl). Van het budget voor uitstapjes kun je een paar mooie boeken kopen.

Gratis uitstapjes in de lente

De nationale Museumweek vindt elk jaar plaats in april. Musea houden dan open dagen, zodat iedereen gratis een kijkje kan komen nemen. Vaak is er in de musea iets extra's te doen tijdens die week. Informatie: www.museumkaart.nl. Meer tips zijn:

- In het voorjaar worden jonge dieren geboren. Kijk bij de dichtstbijzijnde kinderboerderij. Of ga op kraamvisite in de schaapskooi van Ede.
- De boomgaarden staan in bloei. Je kunt ze onder andere bekijken tijdens een fietstocht over de dijk langs de Linge. Zie www.uiterwaarde.nl.
- Op 5 mei zijn er door heel Nederland gratis bevrijdingsfestivals met bekende Nederlandse artiesten.
- Rond half mei is het Nationale Molendag. Kinderen zijn vaak dol op molens. De deelnemende molens en gemalen door het hele land zijn gratis toegankelijk voor het publiek. Informatie: www.molens.nl.

Gratis uitstapjes in de zomer

De hele zomer zijn er verschillende gratis festivals.
Zie www.festivalinfo.nl en klik op 'gratis'. Het hele jaar door zijn er Culturele Zondagen in Utrecht. Met gratis theater, dans, musea, muziek, film, wandelingen en workshops.
Zie www.culturelezondagen.nl.

- Gratis spelen in Speelpark de Splinter in Eindhoven, zie www.speelparkdesplinter.nl.
- recreatiegebied Spaarnwoude, met een parcours voor skaters, atb'ers en mountainbikers, een kinderboerderij, kinderactiviteiten en nog veel meer. Zie: www.spaarnwoude.nl.
- Pyramide van Austerlitz te Woudenberg met grote speeltuin, www.pyramidevanausterlitz.nl.
- Nationale Vlootdagen van de Koninklijke Marine in Den Helder, waarop iedereen kan zien waar de Koninklijke Marine

Gratis uitstapjes in de herfst

Wat is er nu lekkerder dan in de herfst door de afgevallen bladeren in het bos te lopen? Je kunt het dichtstbijzijnde bos opzoeken of gaan wandelen op mooie landgoederen. Meer tips zijn:

- Blotevoetenpad. Op de grens van Groningen en Friesland is een route waar je op blote voeten kunt wandelen in de natuur. De toegang is gratis. Zie www.blotevoetenpad.nl.
- In oktober is het Weekend van de wetenschap. Bedrijven, universiteiten, musea en science-centra organiseren activiteiten waarbij kinderen kunnen kennismaken met wetenschap en techniek.
  Informatie: www.hetweekendvandewetenschap.nl.

Gratis uitstapjes in de winter

Sneeuwpret

- Half december is het Kaarsjesavond in Gouda. De straatverlichting op de Markt gaat dan uit en achter de ramen van het stadhuis worden duizenden kaarsjes aangestoken. Op de dag van Kaarsjesavond zijn enkele musea gratis te bezoeken.
  Informatie: www.vvvgouda.nl.
- Het weekend voor kerst is in Deventer het beroemde Dickens Festijn te bezoeken.
  Informatie: www.dickensfestijn.nl.
- Vlak voor kerst zijn er veel feestelijke kerkdiensten. Ook zijn er veel kerststallen met grote beelden, soms met levende acteurs. Bijvoorbeeld in de Sint Jan van Den Bosch: www.sint-jan.nl. De grootste kerststal van Europa, met 150 dieren, staat in de kerk in het centrum van Weert.
  Informatie: www.kerststalweert.nl.

Hoofdstuk 4

Feesten en cadeaus

Waarom zijn cadeaus toch zo belangrijk? Je kunt natuurlijk ook zo nu en dan gewoon zéggen dat je van iemand houdt en dat je hem of haar al het geluk van de wereld gunt. Maar dat blijven maar woorden die vervliegen, in tegenstelling tot het materiële cadeau. Of het nu gaat om een gouden ring of een Barbie: het cadeau blijft. Hoe vaak ik ook heb nagedacht en gesproken over dit onderwerp, het blijkt een bijna automatisch mechanisme, ook bij mijzelf. Een huilend en zeker een krijsend kind wil ik het liefst iets lekkers aanbieden, en een door tegenslagen gedeprimeerd kind wil ik opvrolijken door een wens te vervullen. Kan niet schelen hoe. Zal ik iets heel lekkers voor je koken? Iets voor je kopen? Het verdriet moet weg.

Tijdens mijn vroegere werk in de gezondheidszorg heb ik vele ouders aan het bed van hun ernstig zieke kind zien zitten. Bijna allemaal verzuchtten ze: 'Kon ik haar plaats maar innemen. Ik had die pijn liever zelf.' Het is dikwijls moeilijker getuige te zijn van de pijn van een ander dan die zelf te verdragen. In versterkte mate geldt dat ten opzichte van onze kinderen. Als ik moet zien dat ze verdriet hebben, ga ik bijna door de grond. De dingen die ik zelf met enige moeite heb doorstaan, mogen hen niet overkomen! Maar dit plaatsvervangende lijden is zinloos. Het helpt niet, hen niet en mij al helemaal niet. Integendeel, het schakelt mij uit als mogelijke steun en toeverlaat.

↖ Samen een feestje bouwen. Zie het interview op pagina 103.

Cadeaus kunnen geen leed verzachten, het kwaad niet buiten de deur houden en niets goedmaken. Ze kunnen geen aandacht vervangen, geen liefde en gezelligheid. Maar achterwege blijven kunnen ze ook niet. Wat kunnen cadeaus dan wel? Ze kunnen je het gevoel geven dat je begrepen wordt, dat men van je houdt, dat men aan je denkt en je blij wil maken. Al lijkt dit in tegenspraak met het voorgaande. Het kan zinnig zijn eens na te gaan welke cadeaus in je eigen leven een onuitwisbare indruk hebben gemaakt. Wat voor cadeaus waren dat? En waarom waren ze zo indrukwekkend? Had dat iets met de prijs te maken? De tijd dat je ernaar had verlangd? De blik in de ogen van de gever? Of de moeite die gedaan werd? Ook is het grappig te proberen je te herinneren wat voor cadeaus je op welke verjaardag hebt gekregen. Toen je vier werd, vijf, zes, zeven enzovoort. Wedden dat je het niet meer weet? Er is een totaalbeeld overgebleven van leegte of hartelijkheid, van onverschilligheid en praalzucht, of van aandoenlijk gepruts van niet al te handige doe-het-zelvers.

Zelf herinner ik me de grote cadeaus die wij als kinderen jaarlijks gezamenlijk voor Sinterklaas kregen. Een poppenkast (heel groot en zwaar, je kon er in staan). Ik denk rond mijn derde: een winkeltje; rond mijn vierde: een poppenbed, zo groot dat we ons jongste zusje erin onderstopten. En als klap op de vuurpijl een poppenhuis waaraan mijn vader in het geheim maandenlang werkte (zonder dat hij wist dat wij zijn vorderingen af en toe stiekem gingen bekijken) en dat mijn moeder inrichtte. Een handige buurjongen had er verlichting in gemaakt. Iedere kamer had een echt lampje met een echt draaischakelaartje, gevoed door een op het zoldertje verborgen batterij. We waren door een spoor van briefjes door het huis gestuurd en daar stond dan eindelijk het poppenhuis met brandende lampjes in een donkere kinderkamer. We waren sprakeloos.

Al die cadeaus waren door mijn vader zelf getimmerd en zijn in mijn herinnering gebleven omdat we er veel mee gespeeld hebben. Aan de poppenwieg was ik zo verknocht dat ik die bij mijn kinderen heb ingezet als doddig klein wiegje voor de eerste acht weken. Vreemd eigenlijk dat ik al die andere cadeautjes die ik wel degelijk gekregen moet hebben, vergeten ben. De sfeer, het zingen, de trap af en het aangekleed worden met extra mooie kleren, dat herinner ik me wel. Een groot deel van alle moeite die ik me nu getroost, zal dus vergeten worden. Wat ook relativerend werkt, is aan een jonge jarige vragen wat nu het mooiste cadeau was. Soms hoorde ik een lijmpotlood, een zaklantaarn, of een skippybal vanwege de grote omvang. Niet de duurste dingen. Of althans, niet altijd.

Poppenwieg voor de eerste weken

Wanneer een van de kinderen een wens naar voren brengt, kijk ik eerst of er sprake is van een bevlieging of een wat serieuzere behoefte. De informatie die vanaf de bank wordt verstrekt, als ze tussen de tv-programma's door weer eens op wat verleidelijke kinderreclame uitkomen en simpelweg roepen 'Maaam, dat wil ook!', beantwoord ik met: 'Hm', zonder te kijken. Meestal vervagen de ideeën door het bombardement van indrukken opgedaan in het volgende programma, maar soms komt een kind terug op een eerdere melding. En heel soms blijkt, na bijvoorbeeld drie meldingen rond hetzelfde artikel, dat hier sprake is van een echte behoefte. Dan antwoord ik: 'Dat kun je voor je verjaardag vragen!' (of aan Sint, afhankelijk van wat het eerste komt). Als daartoe is besloten, wordt het op een altijd klaar hangend lijstje geschreven. Dit voor iedereen duidelijk op de lijst plaatsen van de wens geeft ook al een zekere bevrediging en rust. Hier wordt een daad gesteld: het verlangen wordt officieel vastgelegd. We hoeven niet meteen naar de winkel.

En na een half jaar staan er leuke dingen op het lijstje. Voor de achtste verjaardag van een van mijn zoontjes stond er bijvoorbeeld: een dropjesplant (gezien als 1 aprilgrap in een kindertijdschrift), een nep-drol, een clubhuis, een speurtocht, een rubberboot en een tijdmachine. De plant werd nagemaakt van de foto en lukte heel aardig. Met de aangeschafte kunstdrol is wel een jaar of langer slappe lol beleefd. De speurtocht hebben we georganiseerd op zijn partijtje, een aardig rubberbootje hebben we aangeschaft en over het clubhuis hoorden we hem – tevreden als hij nu was – niet meer. Op onze vraag wat hij wilde beginnen met een tijdmachine, antwoordde hij dat hij het verleden in zou willen 'om dingen goed te maken'. Och, hemel.

Feestcadeau

Voor kinderen die alles al hebben (en daarvan komen er steeds meer) kan het leuk zijn eens een (online) feestartikelenwinkel te bezoeken. Klassiekers als de nepdrol, de inktvlek en het omgevallen glas limonade bestaan nog steeds. Net als de suikerklontjes met een plastic vlieg erin om in de koffie van je tante te doen, het poeder waarmee drinken over het glas gaat bruisen, de bril waarmee je er heel raar gaat uitzien, en ga zo maar door.
Absoluut hoogtepunt: het scheetkussen waar bij ons jarenlang iedere argeloze bezoeker op moest plaatsnemen.
Kosten: € 1,50.

Daan (1989) kijkt terug

Wat ik kreeg voor mijn verjaardag? Ik kan me de skippybal herinneren, en verder vooral veel boeken en wat computerspellen die ik graag wilde. Maar wat ik precies van wie heb gekregen, weet ik niet meer. Het is achteraf fascinerend om te bedenken hoeveel je naar cadeaus uitkeek als kind, terwijl later vooral het gevoel overblijft dat je had bij het uitpakken van de cadeautjes.

De verjaardag

Natuurlijk vieren we de eerste verjaardag van onze kinderen, meestal meer een feestje voor de volwassenen en aanhangende kleintjes, waarbij we aan de geboorte van de jarige terugdenken. Voor de jarige is vooral de foto voor later van belang. De foto met feestmuts, taart met één of twee kaarsjes, de blije gezichten. De cadeaus zijn hier volstrekt bijzaak. Mijn oudste zoontje was vooral dol op uitpakken, en zijn partij bestond uit het mogen uitpakken van al zijn eigen speelgoed, dat hij steeds kraaiend en overgelukkig herkende. Op zijn tweede verjaardag meende ik dat ik dat niet meer kon maken, en kwam ik net als de visite met een flink aantal kindercadeaus. Het werd hem teveel. Bij de vijfde bezoeker, waarbij de jarige heel goed aanvoelde dat er iets van hem verwacht werd, namelijk aandacht voor het cadeau en de gever, verstopte hij zich huilend onder het kleed. Toen wij probeerden toch wat positievere reacties aan hem te ontlokken en de nieuwste cadeaus nadrukkelijk onder zijn neus duwden, weerde hij die boos af. Hij riep letterlijk: 'Niet meer!' 'Een verjaardagvergiftiging,' constateerde een wijze oom.

Zeer jonge kinderen zijn heel gevoelig voor de sfeer, maar cadeaus beginnen pas rond het vierde jaar een rol te spelen. Ook dan is aandacht besteden aan de sfeer belangrijker dan het krijgen. Het is dus goed aan die sfeer en de voorpret veel aandacht te besteden. Zelf praat ik veel over de tijd, zoveel jaar geleden, dat de jarige werd geboren. Het gezeur van pappa voor de bevalling, en eindelijk: daar was je dan. En dat we zo ontzettend blij waren, en verbaasd natuurlijk over het blonde, rode of donkere haar. Dat je lieve oom een traantje moest wegpinken toen hij hoorde dat hij vernoemd was. Dat zelfs de poes in de gaten had dat er iets bijzonders gebeurd was en je spinnend kwam verwelkomen. Dat er een mooie regenboog was en de postbode zich afvroeg wat er aan de hand was bij ons, in verband met de grote hoeveelheden post. De zelfgemaakte knuffel waarmee oma aankwam, ja die waarmee je nu nog steeds slaapt. Bij de voorpret hoort ook het informeren naar wat de jarige wenst te eten, te trakteren, en wat voor taart hem of haar voor ogen staat. Ruim van tevoren hierover beginnen vergroot de voorpret en voorkomt dat een dag voor de verjaardag een ingewikkeld diner moet worden voorbereid, of dat de familie voor onmogelijke opgaven wordt gesteld. De spanning opvoeren kan de voorpret verhogen. Streepjes zetten op het schoolbord, nog zoveel nachtjes en elke ochtend eentje wegvegen. Er zijn kinderen die onder het gewicht van de spanning doorbuigen, en bijvoorbeeld beginnen te bedplassen. Dan nemen wij uiteraard onmiddellijk gas terug. Af en toe melden we dat we niet alle cadeautjes van het lijstje kunnen kopen. Want daar staan wel heel dure dingen bij! Maar je zult vast wel blij zijn als je die verrassing krijgt. Nee, die verklappen we onder geen beding. En aan je broer hoef je het niet te vragen want die heeft beloofd te zwijgen. Het moet een verrassing blijven...

Als de verjaardag aanbreekt, gaan we de kamer versieren. Een uitgebreid versierde kamer zal nooit mogen ontbreken, maar je kunt natuurlijk wel gebruik maken van steeds weer dezelfde slingers. Op de dag zelf zingen wij zoveel mogelijk versies van Lang-zal-die-leven, Er is er één jarig, Happy Birthday, Bon anniversaire pour toi, Gute Geburtstag für Dich, Honki Tonki Shanghai, Oh wat zijn we blij ('niet omdat we jarig zijn maar om de snoeperij') en zo verder. Al onze inspanningen om de sfeer te optimaliseren door uit te vissen wat de precieze wensen zijn, het versieren, het bevorderen van de voorpret door te praten over vroeger, het feest-eten, de traktaties en geheimzinnigheid over mogelijke cadeaus: ze hebben tot dit moment nog niets gekost.

Cadeaus

En dan de cadeaus. Die moeten aan een aantal eisen voldoen:

Ten eerste moet er sprake zijn van een groot verlangen naar dit cadeau. Zelf ben ik er jaren geleden ingevlogen met een van de kinderen. Drie dagen voor zijn verjaardag vroeg hij om een biljart en ik ging vooral op in de zorgen of ik dit nog op tijd zou kunnen regelen. In het plaatselijke krantje werd een echte leistenen tafelbiljart aangeboden, dat wij dezelfde avond nog vervoerden in een vervaarlijk doorzakkende auto. Ik was opgewonden en trots: toch maar weer even mooi geregeld! Onze schat was blij, maar ook een beetje afwezig. Hij heeft er enkele malen op gespeeld. Nadat we een goede opbergmogelijkheid hadden bedacht, bleek het toch wel veel werk het gevaarte voor de dag te halen. Bovendien bleek later terloops dat hij eigenlijk een Amerikaans biljart had bedoeld, zo'n klein pooltafeltje op poten met gaten op zes plaatsen. Daar had hij de middag dat hij hierom vroeg namelijk op gespeeld bij een vriendje. Leek hem ook wel wat. Een bevlieging dus.

Marieke kijkt terug

Dat biljart is als een loodzware reminder in de familie gebleven. Eerst stond het op zolder, best handig weggeborgen, zodanig uit het zicht dat niemand nog zin had het voor de dag te halen. Toen zwager een vakantiehuis in Frankrijk kocht verhuisde het biljart daarheen. Het stond op de deel, die nog niet geschikt was voor bewoning, en waar meer speelgoed stond gestald. Weer een decennium later werd het Franse huis verkocht, met inventaris inclusief biljart. Nu zitten zij – de kopers – ermee.

De volgende eis die je aan cadeaus stelt is dat je geconcentreerd uitzoekt wat de jarige bedoelt: dat het precies om dít cadeau gaat, met deze maat, kleur, leeftijd, afmeting en merk. En als laatste moet het prachtig ingepakt, misschien zelfs met een briefje eraan gehecht waarin (al dan niet in dichtvorm) wordt benadrukt hoeveel we om de jarige geven, hoe graag we het cadeau geven en hoezeer het is verdiend. Er zijn cadeaus denkbaar die bijna uitsluitend uit dit soort schriftelijke verklaringen bestaan. Een diploma voor een gediplomeerde cavia-hok-verschoner, een oorkonde voor een lief kind dat uitstekend op een jonger zusje heeft gepast, een zelfgemaakte medaille bij bijzondere verdiensten, doorzetten bij tegenslag en het overwinnen van moeilijkheden, een stapel visitekaartjes met naam en hobby (Jeroen Jansen, skatekampioen, Yvette van der Meer, balletdanseres).

Mijn indruk is dat een cadeau zeer in de smaak valt als er lang (enkele maanden) naar is verlangd. Door een wens te snel te vervullen, loop je een heleboel blijdschap en voldoening mis. Als je het geven van cadeaus in principe uitstelt tot de volgende verjaardag, Sint of kerst, heb je nog iets achter de hand om zomaar eens iets leuks te doen. Als je die kleine of grote tussendoortjes met de regelmaat van de klok aanbiedt, ontstaat hetzelfde probleem als bij snoepen: altijd de mond vol en nooit meer echt blij.

Partijtjes

Het cadeau is een zaak van de gever en de ontvanger; zolang de jarige maar blij is, is alles in orde. Bij partijtjes ligt dat anders. Ook de buitenwereld beziet onze creativiteit, originaliteit, vrijgevigheid, deskundigheid of is getuige van onze afgezaagde ideeën, onze zenuwen, beperkte budget of onvermogen een groep tierende kinderen in bedwang te houden. Maar moeten we ons daar iets van aantrekken? In een Amerikaans tv-programma over vrijwillige soberheid zag ik een inspirerende da-

Tegoed

Een geweldige cadeautip las ik op het blog van Spaarcentje. Zij maakte voor haar jarige zoontje een stapeltje tegoedbonnen, die niets kosten maar veel plezier opleveren. De ontvanger kan er tijd, aandacht en lekkers mee 'kopen'. Dus bonnen met teksten als: tegoedbon voor één uur later naar bed, voor een spelletje monopoly, voor een pyjamadag, voor een broodje suikerstroop, voor zelf bepalen wat het avondeten wordt. Zij had deze bonnen eerder gegeven, en de jarige was er dolblij mee. En vroeg weken voor de nieuwe verjaardag 'of hij toch wel van die bonnen kreeg'.

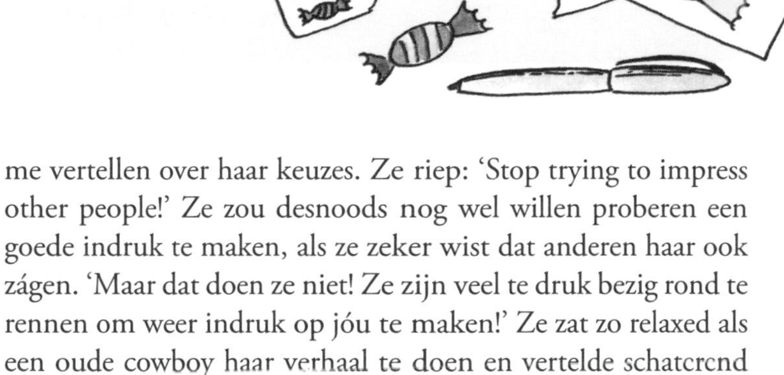

me vertellen over haar keuzes. Ze riep: 'Stop trying to impress other people!' Ze zou desnoods nog wel willen proberen een goede indruk te maken, als ze zeker wist dat anderen haar ook zágen. 'Maar dat doen ze niet! Ze zijn veel te druk bezig rond te rennen om weer indruk op jóu te maken!' Ze zat zo relaxed als een oude cowboy haar verhaal te doen en vertelde schaterend dat ze haar kleding uitsluitend tweedehands kocht, terwijl ze er behoorlijk welgesteld uitzag. Weer iets geleerd.

De leeftijd van de jarige is belangrijk bij partijtjes. De kunst is om het zo lang mogelijk eenvoudig te houden. Als je op de zesde verjaardag het feestvarken verrast met een uitstapje naar een lasergamepaleis, waar moet je dan op de tiende verjaardag nog mee aankomen? Bovendien verpest je de markt voor je collega-ouders. Die zijn vaak blij te merken dat er nog mensen zijn die spelletjes doen en knutselen. Ook de voorbereiding

Samen een feestje bouwen

Joep (47), antiquair en restaurateur, Elles (44), afdelingshoofd Congressen en Evenementen op de Universiteit Amsterdam, Daantje (13), Rijk (11), Loulou (7).

Daantje wordt 13 en gaat naar de tweede klas van het voortgezet onderwijs. Wat voor verjaardagsfeest vindt zo'n tiener nog leuk, en wat is al te kinderachtig? Daantje mag het zelf bedenken: 'Het wordt een high tea en we gaan zelf cupcakes versieren. Daarna kijken we The Hunger Games op dvd. Wel boven op mijn kamer hoor, zonder pap en mam erbij.'
Papieren kaartjes zijn niet nodig. Rijk vindt het heel leuk om op de iPad iets te ontwerpen en Daantje kan ze daarna per mail versturen. En vergeet vooral oma's bijdrage niet. 'Die tovert elke verjaardag de meest fantastische taarten op tafel,' zegt Elles. 'Geweldig om zo'n hulp te hebben.'

en organisatie zijn van grote invloed. Ikzelf maakte altijd een schema, met alternatieven, om niet na anderhalf uur ineens zonder programma te zitten. Ook het optrommelen van geduldige, liefst ervaren hulp helpt om de meute ontspannen tegemoet te treden.

Of iemand die vier jaar wordt al een echt partijtje moet krijgen, is overigens de vraag. Bij de tweede en derde verjaardag kwamen vooral familie en vrienden met hun kinderen, waarbij de volle kamer, de cadeautjes, de versiering en de taart voor voldoende verjaardagsgevoel zorgden. Mogelijk is dat bij de vierde verjaardag ook nog zo. Ik hoorde eens van liefhebbende ouders die voor een derde verjaardag de vriendjes uit de crèche op een complete ingehuurde poppenkastvoorstelling trakteerden. Te vroeg! Het hangt ook van het kind af. Als bij de voorbereidingen en voorpret naar voren is gekomen dat het kind bij de vierde verjaardag rekent op een partijtje, dan geven we dat. Sommige kinderen zijn nog niet zo uit het ei en schommelen tamelijk tevreden door de dagen. Anderen zijn kwiek en alert en bespeuren ongerust mogelijke verschillen in behandeling. Hier spelen we soepel op in.

Partijtje-simpel

Bij het allereenvoudigste partijtje voor bij de vierde of vijfde verjaardag kun je volstaan met het uitnodigen van vier of vijf kinderen. Het partijtje hoeft in zijn geheel ook niet meer dan twee uur te duren. Een voorbeeld.

12 uur:
Neem op woensdag de kinderen uit school mee. Eenmaal thuis speel je eerst een cadeautjes-spel (zie voor de mogelijkheden hieronder). Daarna zing je alle variaties van bekende verjaardagsliedjes.

12.30 uur:
De kinderen gaan aan de tafel zitten, die inmiddels leuk is gedekt. Broodje knakworst staat op het menu. Wil er iemand fritessaus of ketchup op? En wat willen we drinken? Iets yogo-achtigs of chocolademelk (makkelijk zelf te maken)? Na het eten mogen de kinderen even vrij rondlopen.

13 uur:
Knutselen. Deze bezigheidstherapie moet zo veel mogelijk tijd in beslag nemen. Vergis je niet! Je denkt dat ze hun handen vol hebben, maar na drie-en-een-halve minuut roept de eerste al 'Ik ben klaar!' Voor knutselvariaties: zie pagina 105.

Allemaal een kaarsje

13.30 uur:
Nu splits je het gezelschap op in twee groepjes. De ene helft gaat drinken met versierd rietje, keuze uit twee soorten fris (bijvoorbeeld Taxi of kindercola). De andere helft gaat cakejes maken. Cakebeslag staat al klaar in twee kommen, naturel- en chocolade variant. Aan ieder kind vragen: willen ze een geel, een chocolade of een gemengd cakeje? De bestelling in het papieren vormpje doen. De drie vormpjes op een bord in de magnetron en de kinderen opstellen voor het deurtje. Goed kijken jongens, je ziet ze rijzen! Als de cakejes klaar zijn, ruilen de ploegen.
13.45 uur:
Cakejes versieren met van tevoren gemaakte glazuur, snoepjes, hageltjes. Tot slot in alle cakejes een kaarsje. Nu allemaal héél goed stil zitten en stil zijn. De kaarsjes worden aangestoken! Hiep, hiep... Foto's maken. Beeld: vijf kinderen met feestmuts op of vlaggetjes in de hand, versierde taartjes met kaarsjes op tafel.
14 uur:
Cakejes opeten. Dit lusten ze wèl, in tegenstelling tot dure gekochte taart. Voor een eerste partijtje is het nu welletjes, en mogen ze worden opgehaald.

Cadeau-spelletjes

Aan alle cadeautjes bind je een touwtje van ongeveer anderhalve meter. De jarige gaat op de grond zitten, de gasten in een halve cirkel eromheen, met hun aan te bieden cadeau op schoot. De touwtjes leiden we naar de jarige, waar ze door een met goud- of zilverfolie beplakte closetrol lopen. De jarige trekt aan een touwtje, één cadeautje komt uit de handen van de gever richting jarige. De begeleiding helpt het pakje los te knippen. De jarige pakt onder alle aandacht het cadeautje uit en bedankt de gever. Volgende touwtje. Of de gasten verstoppen direct na aankomst hun cadeautje, de jarige mag niet kijken, moet even op de gang. De jarige mag gaan zoeken, hierbij geholpen door de gever die 'warm!' roept als de jarige in de buurt komt en 'koud' als hij steeds verder uit de koers raakt. Dit spel vinden kinderen tot een jaar of tien zeker leuk; elk cadeautje krijgt aandacht en het kost bij elkaar al snel een half uurtje.

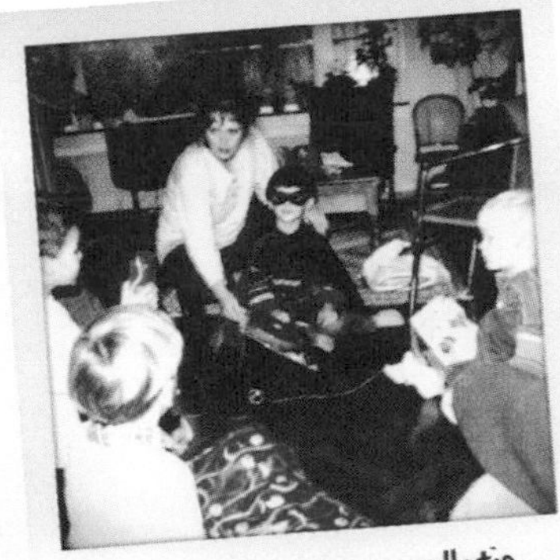

Cadeau-spelletje

Nog een variant: de gasten gaan in een kring staan met hun cadeautje in de handen, de jarige in het midden. Deze doet de ogen dicht, steekt een arm met een wijzende vinger uit en draait langzaam rond op de plaats, daarbij zeggend: 'Eén, twee, drie, vier, vijf, zes, zeven... wie gaat mij een cadeautje geven?' Bij het woord 'geven' gaan de ogen open, en degene die dan aangewezen wordt, geeft het pakje. De jarige bedankt.

Knutselvariaties

Vlaggetjes maken. Eerst maakt iedereen een tekening en schrijft de eigen naam er onder. De tekening uitknippen en op gekleurd papier plakken. Daaromheen plakkertjes, stickertjes etc. Dat geheel aan een stokje vastlijmen (neem je grote satéprikkers, knip dan met de snoeischaar de scherpe punt er af, vóór onze gewaardeerde gasten op het idee komen een prikje uit te delen).

Feestmutsen maken. Laat kinderen een serie kleine tekeningetjes maken, die ze ook uitknippen. Plakken op stroken papier, plakkertjes er omheen. De begeleiding meet de stroken om

de diverse hoofdjes en niet ze op de goede maat dicht. Over het hoofd heen nog wat stroken om er een kroon van te maken. Het resultaat van deze arbeid gaat straks mee naar huis. De turbo's kunnen er twee maken.
Schetsboek maken. Als een jaar lang alle slechts aan één kant bedrukte A4-tjes bewaard worden, kunnen die door onze gasten met de bedrukte kant op elkaar worden geplakt, bijvoorbeeld met behangerslijm. Voor het omslag krijgt ieder kind twee stukken karton op A4 formaat, waarvan er één voor de voorkant mooi betekend of versierd mag worden. De kartonnen worden apart van de stapel bladzijden geperforeerd, en door de gaatjes wordt ter bundeling een lint geprutst waarin een mooie strik moet komen.
Iets maken met brooddeeg. Gewoon brooddeeg (waarna het als eetbaar broodje mee naar huis kan) of deeg met veel zout waardoor het houdbaar blijft. Denk aan de 'ik ben klaar-factor'. Ooit liet ik kinderen haasjes boetseren van brooddeeg, de haasjes kregen een gekookt ei in de armen en gingen zo de oven in. Sommige turbo-kids hebben dit in twee minuten af. Hiermee rekening houdend had ik een opdrachtje verzonnen: de zesjarigen uit groep drie mochten 'Lieve pappa en mamma, dit is voor een vrolijk Pasen!' op een papieren bordje schrijven. Dat duurde dus mooi wél een kwartier.
Het gezamenlijk versieren (met sjablonen, voorbeelden of vrij) van een papieren tafelkleed kan ook een idee zijn.
Zelf zeepjes maken. Eerst zeepresten verzamelen, in huis of bij de familie. Deze zeep raspen. Het mengsel in kommetjes doen, wat glycerine toevoegen en bij ieder kind naar keuze een paar druppels rozen- of lavendelolie toevoegen. Het hele feest ruikt meteen heerlijk. Een druppel kleurstof of bietenrood is ook prachtig. Daarna kunnen er balletjes van gedraaid, of een plak gerold, waar je met koekvormpjes figuurtjes uitsteekt.

Iedereen gaat blij met z'n zeepvoorraad naar huis om er huisgenoten mee te verrassen.
Knutselmogelijkheden voor iets grotere kinderen zijn: emailleren, of met de soldeerbout naam of afbeelding in houten voorwerp (bijvoorbeeld een houten jojo) branden.

Themafeestjes

Wij zijn piraten, krijgen allemaal een ooglapje en stoppels geschminkt en we lopen (met de wasbakontstopper) een houten-poten-race. Wij drinken rum en zingen zeemansliederen. Tot slot graven wij buiten een schat op van gouden chocolademunten. Of wij zijn een circus, kiezen een rol en bereiden een kleine voorstelling voor. Of wij zijn toevallig jarig rond de opening van de Olympische Spelen en vieren feest geheel in het teken daarvan.
Mijn zus, die de hele buurt een minderwaardigheidsgevoel bezorgt met haar zelfverzonnen thema-partijtjes, is daarin de absolute (Olympische) kampioene. De gasten van haar zevenjarige zoon moesten in trainingsbroek verschijnen. In de versierde kamer hing een zelf geschilderde Olympische vlag. Een topervaring vormde de ereronde, die alle gasten na diverse sportieve spelletjes mochten lopen in de naburige straten. Voorop de jarige met een echte brandende fakkel (€ 0,99 in het eerste het beste tuincentrum), verbaasd nagekeken door de buren. Als souvenir kregen alle sporters een zilveren rugzak mét Olympische ringen en in kleine letters de naam van een bekend uitzendbureau. Mijn zus had de rugzakken zien staan in de etalage, enthousiast verteld van haar plannen voor een Olympisch feestje, waarna de juffrouw er schappelijk één aanreikte. 'Maar de kwestie is, ik heb er dus acht nodig,' zei mijn zus, en na enig getelefoneer kreeg ze die nog ook. De ware consuminderaar kan wel een jaar teren op dit soort succesjes.

Het creatieve of actieve feestje

Ook de speurtocht blijft een goede tijdrovende bezigheid. Tot onze kinderen een jaar of acht waren, was het mogelijk de wedijver te beheersen door ervoor te zorgen dat iedereen evenveel punten kreeg. En dus, even tellen jongens, allemaal de eerste prijs plus de gratis voldoening. Boven de acht jaar werkte dat niet, en wilden de fanatieke gasten hun prestaties zien omgezet in een duidelijke rangorde, en een erepodium met eerste plaats.

Er zijn nog andere mogelijkheden, zoals het samen bedenken van een scenario, het verdelen van de rollen en het maken van een film met een (geleende)camera, tablet of smartphone. De film kan mogelijk aan de ophaalouders worden getoond, hoewel die daar zeer waarschijnlijk geen tijd voor hebben. Alle soorten verkleed- of themafeestjes kunnen nog een toevoeging krijgen door het maken van een groepsportret aan het begin van het partijtje, waarvan het bestand op usb-stick door een helper spoorslags naar Kruidvat of Hema kan gebracht om voor alle gasten een afdruk te maken. De portretten kunnen dan aan het eind van het feestje worden meegegeven.

Een lezeres en collegabespaarder schreef me over een speurtocht waarbij de gasten een schat moesten veroveren op de bende van de zwarte hand. Bij thuiskomst bleek de bende het bestek en de borden gestolen te hebben. De moeder van de jarige serveerde de patatjes en ook de mayo, ketchup, en de appelmoes door porties eten en saus gewoon op het (plastic) tafelkleed te deponeren. Zij stelde zich voor dat het een 'lekker stout-orgie' zou worden, met graaien en van het kleed likken. Maar de kinderen waren zo beduusd van deze streek van de bende van de zwarte hand dat ze heel onwennig en netjes gingen eten.

Ook bedachten wij eens een 'eet & skate feestje'. De gasten verzonnen eerst wat ze wilden eten en wie wat zou maken.

Daarna haalden ze zelf de benodigde boodschappen en maakten de maaltijd klaar. Vervolgens aan tafel (waarbij de ouders zich uiteraard discreet terugtrokken). Na het eten werd een skatehal bezocht, waar de huur van skates bij de geringe toegangsprijs was inbegrepen.
Moegestreden? Alvorens over te gaan tot een rondvlucht boven Amsterdam, een tripje naar Euro-Disney, het huren van een boot plus kapitein (allemaal echt gebeurd) kan een bezoek aan een klimwand, een skatehal of bioscoop worden overwogen. Ook een slaapfeestje kan uitkomst bieden. Troost is te putten uit twee gedachten. Ten eerste: onderwijsmensen, dié hebben het pas zwaar. De hele dag vijfentwintig kinderen, jaar in jaar uit! En ten tweede: op de middelbare school willen ze geen partijtjes meer.

Daan (1989) kijkt terug

Verjaardagsfeestjes waren altijd erg leuk. Volgens mij stelden veel andere ouders een limiet aan hoeveel vriendjes hun kinderen uit mochten nodigen, omdat ze de kinderen naar een locatie verplaatsten en dus moesten vervoeren. Maar als je thuis iets leuks doet hoeft een kind zich daar verder geen zorgen over te maken. Volgens mij is het belangrijkste op een verjaardag dat je even in het centrum van de belangstelling staat, zeker als timide middelste.

Hoor, wie klopt daar (geld uit mijn zak)?

Eind november beginnen de winstbeluste winkeliers al kerstbomen te plaatsen, maar die negeren wij totaal. Eerst het Sinterklaasfeest. Dat vieren we zo intensief, dat zelfs de kinderen een beetje opgelucht zijn als de goedheiligman weer naar Spanje vertrekt. Om te beginnen kijken we naar de aankomst van Sint op tv, met zoveel mogelijk mensen: buurkinderen, neven en nichtjes. Alle deelnemers krijgen warme chocola en een bakje pepernoten. Al snel ontstaat de feestelijke, licht hysterische

Sinterklaassfeer. Meestal komt Sint een week later aan bij ons in de Ringvaart. Ook daar zijn we van de partij. We turen naar de horizon, zien in de verte boten en dan eindelijk! Vanaf de schouders van pappa is Sint van dichtbij te zien. Dan de optocht met aansluitend feest in het Dorpshuis. Vervolgens gaan wij: 'dromen wat we willen hebben'.

Die enkele folder die in de bus valt, is niet genoeg. Ik haal bij de grote speelgoedzaken voor elk kind een catalogus. Niet simpel aankruisen wat de wensen zijn: nee, uitknippen, en op een groot vel plakken. Zoveel als je wilt! Ik hoorde van mijn kinderen dat er op school kinderen zijn die elke dag hun schoen mochten zetten. Dat doen wij één keer per week, maar dan wel inclusief tekeningen en brieven voor Sint en Piet, hooi, wortel en drinken voor het paard, lang en luid zingen, wat soms wel eens gehoord wordt door Piet, die dan ineens strooit. Een zaklantaarn bij het bed om bij nacht en ontij te gaan kijken wat er in de schoenen zit (een heel klein cadeautje en voor iedereen iets lekkers).

Dan de moeilijke opdracht aan de jongens om uit de lukraak geknipte 'long-list' een echte verlanglijst samen te stellen, met maximaal vijf wensen. Na lang piekeren, in de verte staren, op potlood kauwen, smokkelen en overleg plegen wordt de 'short-list' ingeleverd. Dan is het heerlijk avondje aangebroken. Na lang zingen en een vervaarlijk gebonk op de ramen komt eindelijk de pakjesmand, vol kleine cadeautjes en grote gedichten. Nu nog een week nagenieten en met de cadeautjes spelen. Even pauze, voor we aan de kerst beginnen. In die week koop ik de afgeprijsde chocolademunten, voor volgend jaar. Of voor bij het piratenpartijtje.

Sint en een kleiner budget

Maak om te beginnen een feestbegroting. Pak je financiële papieren erbij. Hoeveel wil je echt maximaal besteden aan Sinterklaas?

- Noteer de namen van de deelnemers. Hoeveel ga je per persoon besteden? Wat heb je al gekocht en hoe duur was dat? Houd je in wanneer kinderen nog onder de 4 zijn, voor hen gaat het vooral om de sfeer. Tel op hoeveel je begroot aan cadeaus en tel daar nog wat bij voor lekker eten.
- Neem een beslissing: vier je Sint of vier je kerst met cadeaus? Het is aan kinderen heel goed uit te leggen: of de één komt, of de ander.

Voor ouders die wat krapper zitten, zijn dit extra lastige maanden. Ouders proberen hun geldzorgen vaak voor kinderen weg te houden, maar voelen zich wel tekort schieten en schuldig. In een éénoudergezin is er geen collega-volwassene die dit soort gevoelens relativeert (ach joh, zo slecht hebben ze het niet, met hun fijne huis, leuke school, prima kleding en niet te vergeten: jóu!). Het lijkt er soms op dat hoe minder geld mensen hebben, hoe overdadiger ze willen uitpakken met Sint of kerst. Het resultaat kan zijn dat je de dag na Sint tegen een berg speelgoed aankijkt, waar door de kinderen teleurstellend weinig naar wordt omgekeken én een gestegen schuldenlast. Die schulden maken ongelukkig en nerveus, je valt vaker uit tegen kinderen die zich van geen kwaad bewust zijn. Daar voel je je dan weer schuldig over en zo kom je in een neerwaartse spiraal.

Tegen kleine kinderen die vragen of Sint hen minder lief vindt aangezien ze minder cadeaus krijgen, kun je zeggen dat het anders zit. 'Kijk schat, Sint heeft een vast bedrag te besteden per kind, logisch. Sommige ouders vinden dat bedrag te laag en leggen geld bij de schoen, zodat Sint aan die kinderen wat meer kan geven. Wij doen dat niet, want wij vinden dat niet nodig, en we hebben niet zoveel geld.'

Mini Sint

Tegen grotere kinderen zou ik eerlijk zijn. Uitleggen dat er minder te besteden is, dat jouw kribbigheid niet hun schuld is, dat je ze dolgraag meer zou geven, maar dat andere rekeningen eerst moeten worden betaald. Kinderen zijn niet gek, die snappen dat best. Beter samen werken aan een oplossing en openheid werkt altijd beter dan samen steeds dieper in de zorgen.

Daan (1989) kijkt terug:

Als klein kind wilde ik graag Zwarte Piet worden. Het leek mij een goed carrièreperspectief: een beetje op de daken klauteren en elf maanden per jaar vakantie. Toen ik hoorde dat Sinterklaas niet bestond was dat eigenlijk niet erg, want dat betekende alleen maar dat ik des te eerder aan mijn loopbaan kon beginnen. In de jaren daarna trok ik elk jaar in een door mijn moeder gemaakt zwartepietenpak de straat op.

Kerststress

Een kleine enquête in de naaste omgeving levert een breed scala aan kersttrauma's op. Kerstmis! Breek me de bek niet open. Elsbeths vader verkocht kerstbomen. Het hele gezin treurde met hem mee om de boompjes die weer eens niét verkocht waren. Tegenover de te lage omzet stond een teveel aan dennennaalden, overal in huis. 'Tot aan het voeteneind van het bed en tot in de puntjes van onze sokken kwam je ze tegen', verzucht ze. Bij Hans stond onduidelijk vlees op het menu, waarin hij al kauwend harde stukjes aantrof. 'Ja, dat zijn kogeltjes, leg ze maar op de rand van je bord', verklaarde zijn moeder eenvoudig. Bij de kleuter die Hans toen nog was, kwam dat hard aan. 'Wat voor dier is dit dan?', had hij ongerust gevraagd. Het bleek om een konijn te gaan. Hans en zijn zusje barstten in een hartverscheurend snikken uit. De ouders twijfelden tussen een preek, boos worden en een proestbui.

Bij Sander stond Kerstmis gelijk aan ruzie. Konden de gezinsleden elkaar gedurende het jaar nog zo'n beetje ontlopen: met kerst diende men 'gezellig thuis' te zijn. En zo'n weekend duurt lang. De opgekropte frustraties, gemengd met het toegenomen alcoholgebruik, leverden een explosief gas op dat meestal in de loop van tweede kerstdag tot ontploffing kwam.

Jantien klaagt dat zij aan twee kerstdagen niet genoeg heeft. Niet dat ze persoonlijk zo dol is op het feest. Haar ouders én die van haar vriend zijn gescheiden en drie van de vier (schoon)ouders hebben een nieuwe partner. Dat levert zeven volwassenen op die hun rechten op bezoek doen gelden. 'Ze vragen ons allemaal voor het eten of voor de lunch. Wat we ook doen, er zijn er altijd een paar teleurgesteld.'

Feestpauze

Nog een tip voor de overbelaste sintfeestorganisator: plan een kleine week feestpauze. Dus niet meteen doorstoten naar kerst. Bijvoorbeeld een weekje nagenieten, nog eens goed kijken naar de cadeaus voordat ze opgeborgen worden. Gedichten nalezen en waar nodig nog eens bedanken. Je kunt, als opmaat voor kerst, wel vast de kerstdoos tevoorschijn halen en die eens inspecteren. Je staat ervan te kijken wat een onbeschrijflijke hoeveelheid kerstspullen en -prullen je nog hebt.

In 1990 richtte een voortvarende studente in Arnhem het 'Comité Feestdagen Nee' op. Er meldden zich in korte tijd tientallen mensen om lid te worden. In Amsterdam hoorde ik van groepen vrienden die bij elkaar komen om kerst NIET te vieren. Elsbeth wil geen kerstboom meer, Hans is inmiddels vegetariër, Sander vraagt nachtdienst aan met de kerst en Jantien gaat met haar vriend op wintersport, waar ze kerst en oud & nieuw er in één week doorheen jast. De meeste mensen hebben zo hun strategie bedacht om de feestdagen door te komen.

Maar als er kinderen zijn, wordt alles anders. Je gaat je afvragen wat er waardevol is aan het feest en wat je je kinderen wilt aanbieden. Dit is in grote mate afhankelijk van de vraag of je het feest viert met of zonder religieuze achtergrond. Voor mij is de waarde van kerst: de traditie. De herhaling. Dat je dan een boom in huis haalt en die mooi versiert. Sommige mensen vinden tradities en herhaling stompzinnig, maar kinderen zijn er juist dol op. Hoeveel waarde ik aan dit ritueel hecht, bleek toen ik in mijn studietijd in een woongroep woonde. Op de huisvergadering was besloten dat er in verband met de schade aan de natuur géén kerstboom in huis gehaald zou worden. Mijn gepassioneerde pleidooi had geen enkele indruk gemaakt en het besluit was democratisch, vier tegen een, genomen. Toen merkte ik dat ik écht een kerstboom wilde. Op z'n minst wilde ik naar het schijnsel van de lampjes kunnen kijken. Ik schafte dure buitenverlichting aan, plaatste een boom op het balkon dat aan onze gezamenlijke keuken grensde. Daar werd gekookt, gegeten en afgewassen in het schijnsel van mijn boom, die geheel volgens de letter van het besluit niet in huis was gehaald. Dat voelde wel goed, kerst tegen de verdrukking in.

Tegenwoordig voel ik een andere druk: de druk van de overdaad. Nog voor de behoefte aan kerst heeft kunnen ontwaken, worden we bekogeld met kerstmuziek, kerstattributen, -ballen, -kransen. Het is volstrekt uit de hand gelopen met de kwestie kerst. Vroeger had je een eenvoudige kerstdoos, met een standaard en wat versierartikelen. Daarna volgden de trends elkaar razendsnel op. Van zilver naar goud, naar paars, naar geruit, naar doorzichtig, naar jute en basic. Tegenwoordig zijn de kersthallen eenvoudig opgedeeld in afdelingen met trends naar keus. We volgen geen mode, maar zijn allemaal 'onszelf'.

Kerstmannetje

De kerst-hater die zich verzet tegen de tradities, de knellende boordjes en verplichtingen, loopt groot risico binnen de kortste keren zijn zenuwen te lopen compenseren in zo'n hal. En de kerstliefhebber loopt dit risico evenzeer. Zij krijgen bij 't zien van het eerste engeltje de kriebels en kopen er weer een snoezige aanvulling bij.

Wat is er uit deze mallemolen nog te halen voor kinderen? Heel veel! Als je kinderen oud genoeg zijn, zou je ze kunnen vragen wat hun leukste herinneringen aan het kerstfeest zijn. Zelf vroeg ik het vorig jaar en de kleine tradities werden trouwhartig opgesomd:

- het gezamenlijk kopen van een boom op de laatste dag voor Kerstmis;
- het uitpakken van de kerstdoos met op de achtergrond zijige kerstmuziek;
- het inrichten van het kerststalletje waarbij de kinderen de figuurtjes schikken;
- het gezamenlijk vastgestelde kerstmenu, waarbij iedereen een handje heeft geholpen;
- het versieren van de kamer.

Ik was tevreden met hun opsomming. De kleine tradities zijn zo gegroeid, wat goed beviel, is zo gehouden. En loop het lijstje nog eens langs: het zijn allemaal zaken die de sfeer betreffen, niet de kosten.

Kerstdiner op school

Thuis ben je zelf de baas en kun je je eigen tradities instellen tot de juiste mix van netheid, plechtigheid, geheimzinnigheid en ontspanning is bereikt. Op school moet je in de pas lopen. Ik merkte met onze oudste zoon dat er sinds mijn eigen kindertijd een nieuwe traditie is ontstaan: het kerstdiner op school, in avondkleding. 'De kinderen zijn natuurlijk zo mooi mogelijk aangekleed', stond er in de schoolkrant. De jongens in een nette broek, met overhemdje, stropdas of strikje en nat gekamde haartjes. De meisjes in superjurken, lakschoentjes, kwikjes en strikjes, zelfs make-up bij kleuters. Het scheelt enorm in de kosten, om aan je kinderen te vragen hoe ze gekleed wensen te gaan, en daar ruim van tevoren naar te kunnen speuren. Als je op het laatste moment nog een colbertje maat 128 moet zien te vinden zul je het nieuw moeten kopen.

Op chique

Buiten het (kerst)spel?

Probeer eens met de ogen van een buitenstaander, of de ogen van een klein kind, naar onze kerstvoorbereidingen te kijken. Wat zou je conclusie kunnen zijn?

- Met kerst wordt het huis heel mooi versierd.
- Met kerst krijg je dure cadeaus.

- Met kerst ga je heel raar en heel veel eten.
- Rond kerst heb je een kerstdiner op school en later nog 2 of 3 diners thuis en bij familie, waarbij je steeds moet stilzitten.
- Met kerst moet je hele nette kleertjes aan.

Is dit het verhaal dat je wilt vertellen? Publicist Beatrijs Ritsema schreef er jaren terug verbolgen over. Ze had enige tijd in Amerika gewoond en merkte bij terugkomst dat er in Nederland wat nieuwe tradities waren ontstaan. Zoals het kinderkerstdiner. 'Een schoolkerstdiner, hoe verzin je het?' Kinderen hebben net Sinterklaas achter de rug, moeten in de komende week nog twee kerstdiners verstouwen, gevolgd door oud & nieuw. De ouders, lijdend aan decemberstress, moeten dat diner klaarmaken, terwijl kinderen niet dol zijn op chic eten, zodat de helft in de vuilnisbak verdwijnt. In Amerika maakten haar kinderen op school pakketten voor daklozen. Ze werden aangemoedigd zich te verplaatsen in de situatie van de daklozen en iets van hun zakgeld te kopen: *For the homeless.*

De cultuur van zeer bewust stilstaan bij de noden en armoede van anderen, al is het maar een keer per jaar, bestaat in Nederland niet echt. We kunnen daar best verandering in brengen. Je zou met kinderen een paar dingen kunnen doen.

- Kerststukjes maken. Kijk of er nog oase is, en er nog steekpepers en kaarsjes onderin je kerstdoos zwerven. Zoek een paar schaaltjes en laat kinderen buiten groen zoeken. Dennentakjes, conifeer, hulst, mos. Maak samen een paar mooie kerststukjes. Ga in gesprek en probeer een paar mensen te kiezen die blij kunnen zijn met zo'n kerststukje en bezoekje. Zijn er ouderen in de straat die wel altijd aardig groeten, maar waar zelden iemand komt?
- Kaarten maken kun je op allerlei manieren met kinderen. Zoek gekleurd papier en laat kinderen tekenen, plakken, schilderen of stempelen. Dat laatste staat goed uitgelegd

op www.armande.net/kerstkaartenmakenkinderen.html.

- Laat kinderen nadenken over een kerstwens en zelf wat schrijven op de kaart. Bespreek naar wie je de kaarten wilt sturen of brengen.
- Bedenk met het hele gezin of je aan een goed doel gaat geven, en zo ja, welk. Willen de kinderen zelf wat doneren, van hun zakgeld of rapportgeld? Sparen is nuttig en belangrijk, goed om te leren. Maar 'geven' moet je ook leren. Bij veel kinderen blijft 'geven' beperkt tot de ouders aanzetten iets over te maken. Het is goed als kinderen echt zelf iets afstaan. Ook niet verkeerd om tenminste een keer per jaar stil te staan bij onze rijkdom.

Kaarsjesbrood

Maak brooddeeg en verdeel dit in de lengte in drie gelijke delen. Rol deze uit en maak er een gevlochten brood van. Druk er drie aluminium cupjes van waxinelichtjes in. Het vlechtbrood met cupjes en al bakken op 250°C, 45 minuten. Het brood op een mooie schaal leggen, waxinelichtjes in de cupjes doen en aansteken als je het opdient.

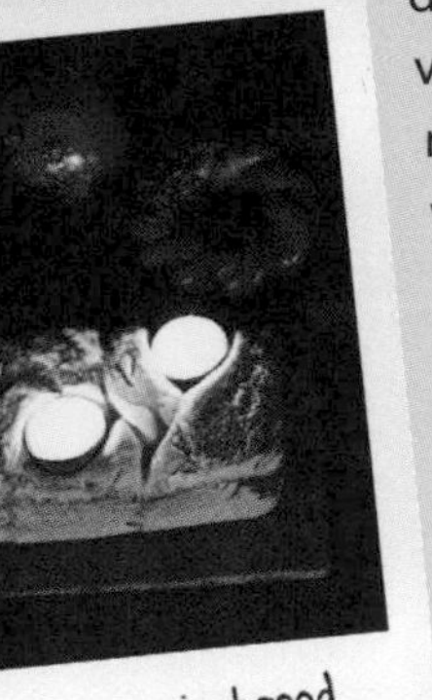

Kaarsjesbrood

Paas-dwaas

Als ik aan Pasen denk, zie ik een vroeg jaren zestig-tafereeltje. Wij zijn zoete kinderen, met een strik in het gekamde haar, de kamer met Pastoe meubelen en rotan stoeltjes. Wij verven de eieren die het hoogtepunt zullen vormen van het paasontbijt morgen. Samen met de door moeder gemaakte theemuts in de vorm van een kip, met bijpassende eiwarmers in kuikenvorm. Pasen is creatief, vredig, vrolijk, niet zo beladen als Kerstmis, voor mijn part tuttig. Precies die paassfeer wil ik nu oproepen.

Ergens tussen de zoete herinnering en de realiteit van vandaag wordt het verlangen naar een vrolijk Pasen omgezet in koopdrift. Waar het precies gebeurt, kan ik niet aanwijzen. Als ik de folder van de Hema doorblader, of toevallig even bij Blokker moet zijn misschien? Die winkel blijkt veranderd in een geelgeblokt gekkenhuis. Een schaal voor de eieren, een rustiek eierkastje met kippengaas ervoor, kippen en kuikentjes in talloze soorten en maten, tafellakens, servetten, vlaggen en slingers met de tekst 'Vrolijk Pasen!' om voor het raam te hangen.

Een stemmetje in mij zeurt: 'Die handgemaakte hersluitbare kartonnen eierbewaardozen uit Roemenië, dié zijn leuk! En om de prijs hoef je het niet te laten.' Elk jaar gebeurt het weer: de kuikentjes roepen mij zachtjes: wil je nu een vrolijk Pasen of niet? Om te voorkomen dat ik mezelf terug vind in een huiskamer die niet meer te onderscheiden is van de bovengenoemde winkel, heb ik me een strak regime opgelegd. Uitgangspunt is: de leuke sfeer willen wij wel, de kosten liever niet. Grote steun bij het uitvoeren van dit voornemen is het inrichten van een 'paasdoos'. Alle paasfrutsels van voorgaande jaren zijn na het feest in die doos gepakt. Tussentijds kan er nog een geinig stukje geel karton bijgeschoven worden. Als de gele koorts toeslaat, weet ik wat mij te doen staat.

Eieren verven

Niets kopen, éérst de eigen paasdoos uitpakken. Kijk nu toch eens wat we allemaal nog hebben! Een gefiguurzaagde paashanger voor bij het raam, ongeveer vijftig kleine kipjes en eitjes om in de paastak te hangen, zelf gemaakte eierdopjes, een origineel vogelnestje dat op tafel komt met wat leeggeblazen kwarteleitjes erin. Een groot lichtgeel papieren paastafelkleed, een klein linnen kleed, echt geborduurd met gele kipjes, rieten mandjes met dunne groene papierreepjes waar de eieren leuk in kunnen liggen. Vier pakjes voordelige eierverf, kennelijk voor de zekerheid een voorraadje gekocht. Een houten vorm om zelf een boterschaapje te maken. Dan komen de jongens nog uit school met een stuk of wat uit vouwblaadjes gevouwen bakjes met aangeplakte paashazen. Meer steun heb ik niet nodig. We kopen niets meer.

In welk wetboek staat dat een paastak afkomstig moet zijn van de krinkelwilg? In deze tijd van het jaar is men aan het snoeien in de plantsoenen. Je kunt kijken of er ergens een berg takken ligt en er een paar meenemen. Op het platteland zal het helemaal geen probleem zijn een aardig boompje te vinden dat wel een tak wil afstaan. Als er maar wat knop inzit. De voet met een hamer plat slaan, dan kan de tak meer water opzuigen. Deze takken hoeven niet noodzakelijk in een gele 'paastakkenvaas' geplaatst te worden. De ervaring leert dat ze in om het even welke vaas of emmer de grote truc van het voorjaar zullen vertonen. Elke levende tak zal uitlopen en wat frisse lenteblaadjes in je huis brengen. Nog nooit heeft iemand mij gevraagd: 'Waarom kronkelt jouw paastak niet?'

Prima paaseitjes

Een maand voor Pasen zijn bij het Kruidvat paaseitjes te koop in een grote kilo-zak. De prijs is ongeveer de helft van wat je overal elders betaalt voor kleine zakjes. Uit een test van Tros-Radar bleek dat de kilozakken paaseitjes van de HEMA een heel gunstige prijs-kwaliteitverhouding hebben.

De paaslol is zodoende nagenoeg gratis. Het uitpakken van de paasdoos in aanwezigheid van opgewonden kinderen. Het spelen met die uitgepakte spulletjes. Het samen zoeken en naar huis dragen van een lekkere grote tak. Het versieren van tak, raam en schoorsteenmantel, het inrichten van een paastafereeltje op tafel. Het maken van paasvlaggetjes van tuinstokjes met geel papier, reclamemateriaal of tekeningen. Het maken van een echt broodhaantje en Palmpasenstok. Het schilderen van de hardgekookte eieren. Het op zaterdag vlak voor sluitingstijd nog even de afgeprijsde etenswaren bekijken. Het dekken van de tafel voor het paasontbijt, met voor alle kinderen een verrassing. Het verstoppen van de eieren.

Hoewel: dit laatste kan – zo bleek bij ons – tot veel verwarring leiden. Het verhaal van een haas die eieren loopt te verstoppen wilde maar nooit vlotjes uit mijn mond rollen. Ik meldde halfslachtig dat er eieren verstopt waren en de kinderen spoorden ze dan zonder verdere vragen of bezwaren op. Tot die keer dat we Pasen vierden in een vakantiehuisje in de bossen. 's Ochtends, voor de kinderen wakker waren, had ik ruim om het huisje met chocolade eitjes gestrooid. Even later mochten ze in het heiige bos in pyjama gaan zoeken. Maar er lag haast niets meer! 'Nu weet ik eindelijk wie die eitjes verstopt!', kwam onze oudste hijgend melden. 'Hoezo schat?' 'Kom maar kijken, ze zijn nog bezig', zei hij en liep voor ons uit. Daar rende een eekhoorn met één van onze laatste eitjes in zijn bek.

Hoofdstuk 5

De BV het gezin

Niet alleen praten over geld is taboe in onze cultuur, praten over opvoeden ook. Praten over twijfels aan je capaciteiten als ouder, je zorgen over kinderen. Zelf heb ik nooit in een praatgroep gezeten, noch vooraan gestaan in een actiegroep. Mijn engagement beleed ik lezend, lezend, lezend. Over zwangerschap, bevallen en opvoeden las ik toen ik kinderen kreeg. Het boek *In den beginne was er opvoeding* van de Zwitserse psychiater Alice Miller las ik gelukkig al ruim vóór die tijd; het heeft me jarenlang beziggehouden. Het laat zien hoe oneindig loyaal kinderen zijn aan hun ouders, die niet opzettelijk de wil van hun kinderen breken. Alice Miller is psycho-analitica en toont overtuigend aan wat je niét moet doen bij kinderen. Maar hoe te handelen bij hoog oplopende conflicten of juist bij de alledaagse strubbelingen met kinderen staat er niet bij.

Het boek *Luisteren naar kinderen* van Thomas Gordon vertelt dat wel. Het laat zien hoe je onacceptabel gedrag van kinderen kunt veranderen zonder macht uit te oefenen, hoe je kinderen kunt helpen zèlf hun problemen op te lossen en hoe je conflicten oplost zonder verliezers. Wat ik leerde uit dat boek bood ontzettend veel voordeel. In het eigen gezin, maar ook op het werk en bij het geven van lezingen over vrolijk besparen. Er is volgens mij geen ander boek dat zó helder uit de doeken doet hoe je met respect voor ieders gevoel en mening conflicten kunt oplossen. En vergis je niet, de wat halfzachte titel doet

↖ Iedereen helpt mee. Zie het interview op pagina 139.

misschien vermoeden dat vanaf nu alles om de kinderen draait, maar het uitgangspunt van het boek is juist het volstrekt gelijkwaardige belang van de behoeften van ouders en kinderen.

Ouders die bepaalde veranderingen willen doorvoeren, maar denken daar bij de kinderen of partner geen kans mee te maken, zou ik willen aanmoedigen: lees dat boek! Bij mij heeft het geresulteerd in het vertrouwen dat alle conflicten te bespreken zijn. Het praktische resultaat is dat er wel degelijk meer rekening gehouden wordt met elkaar.

Als je iets in het uitgavenpatroon van je gezin wilt veranderen, zijn er verschillende mogelijkheden. Er kan behoefte aan verandering zijn omdat de weelde niet prettig meer aanvoelt, omdat de kinderen ontevreden lijken, hoeveel ze ook krijgen. Deze groep ouders zal verbaasd opkijken van de bereidheid van hun kinderen aan veranderingen mee te werken. De andere groep is die waar de veranderingen in het bestedingspatroon onontkoombaar zijn, domweg omdat er minder geld te besteden is in vergelijking met vroeger door werkloosheid, ziekte of veranderde omstandigheden zoals een scheiding. Deze ouders hebben, hoewel ze in een moeilijker situatie zitten, nog grotere kans op de medewerking van hun kinderen.

Theo Thijssen laat zijn boek *Kees de jongen* eindigen met de veertienjarige Kees die buiten medeweten van zijn moeder een baantje als jongste bediende weet te vinden. Kees wil zijn arme verweduwde moeder helpen. In het boek is ze ontroerd door deze actie en protesteert slechts voor de vorm dat het beter was geweest als Kees zou doorleren. Hij had er de hersens voor. In werkelijkheid verbood Thijssens moeder, die ook weduwe was geworden, het werken van haar zoon. Ze stònd op doorleren, en sappelde nog enkele jaren door. Theo Thijssen was al ouder toen hij het boek schreef en deed op papier iets wat hij als kind dolgraag in het echt had willen doen: zijn moeder uit de brand helpen.

Op lezingen hoor ik soortgelijke hartbrekende staaltjes van

bereidwilligheid. Een moeder die na een scheiding had gevraagd om wat oplettendheid betreffende de verlichting (lampen uit als je een vertrek verlaat) trof haar tienjarige dochter in een donkere slaapkamer met open gordijn, lezend bij het licht van de straatlantaarn. 'Mam, dit gaat best en hier kunnen we heel veel mee besparen!', had de dochter trots gezegd. Ook hoorde ik van kinderen die aanboden voortaan minder te eten en kinderen die aanboden hun verjaardag over te slaan.

Ouders met financiële zorgen torsen het gewicht van hun problemen liever alleen. Kinderen voelen dit en zijn vaak opgelucht als ze concrete mogelijkheden krijgen om mee te helpen. Het beste werkt het wanneer je je zorgen in hun algemeenheid aan de kinderen uitlegt. 'Er is vanaf nu minder financiële ruimte, we moeten een bedrag van € x,- per maand minder uitgeven. Zouden jullie er eens over willen nadenken hoe jullie hieraan kunnen bijdragen?' In het dagblad Trouw las ik een interview met een bewonderenswaardige alleenstaande vader met drie kinderen. Hij moest al jaren rondkomen van € 800,- per maand en zegt: 'Ik laat mijn kinderen zien wat armoede is, probeer goed uit te leggen wat we wel en niet kunnen. Je moet je tegenover je kinderen niet proberen groot te houden, maar eerlijk zijn. Hen structuur bieden en je afspraken nakomen, ze moeten van je op aan kunnen.'

Het kind als bondgenoot

Lang geleden voerden mijn oudste zoon, toen tien jaar, zijn vader en ik een kleine komedie op, waarbij ik een sterk déjà vu gevoel kreeg. Dit had ik eerder meegemaakt, maar hoe en waar? Na wat gepieker concludeerde ik dat hier sprake was van een repeterend patroon. In de komedie spelen drie gelijkwaardige typen hun rol. Ten eerste: de oude (slodder)Vos, die het vuilnisbakschuimen, spullen opscharrelen en vergaren zwaar in de genen heeft zitten. Deze Vos komt soms handen tekort om de buit naar huis te dragen, en heeft daarom behoefte aan de

Bondgenoot. Samen nemen zij het op tegen Degene Die Zich Dood Schaamt, die niet zelden familie of zelfs echtgenoot is van de oude Vos zelf. Vos en Bondgenoot hebben als doelstelling: het van de ondergang redden van bruikbare zaken. Of zaken het redden waard zijn is een punt voor later; met hen valt hierover geen zinnig gesprek te voeren. Een tweede doelstelling is het respect winnen van Degene Die Zich Dood Schaamt. De kans dat juist hij ooit toe zal geven dat de gescoorde zaken nuttig, de moeite waard of best waardevol zijn, is nihil, maar Vos en Bondgenoot blijven hier levenslang naar streven.

In mijn jeugd was mijn moeder de Vos. Waar zij, komend uit een keurig onderwijzersgezin, met weliswaar artistieke neigingen, maar toch ook met een dienstbode, haar Vos-geaardheid vandaan heeft, is onduidelijk. Evenwel duiken de boevenstreken links en rechts in de familie op, zelden samenhangend met gebrek of armoe. Dat was het juist: mijn vader, in de rol van Degene Die etc., wilde de gevonden zaken niet eens hebben. Hij hechtte aan duur en kwaliteit. Als hoofd van de Openbare School kwam hij nog wel eens op de koffie bij de wethouder, en zo'n vuilschuimend gezin kon hij zich eigenlijk niet veroorloven. Vandaar dat ik als Bondgenoot werd ingeschakeld: niet alleen om te helpen sjouwen, maar ook om de buit te verstoppen en een alibi te verschaffen. De buit kon dan later op een gepaster moment wel eens tevoorschijn komen.

Bondgenoten

In de tegenwoordige tijd is de rolverdeling simpelweg een generatie opgeschoven. Tussen eten en afwas komt mijn oudste zoon en Bondgenoot naar de keuken en fluistert de essentialia in mijn oor. 'Merelstraat, container, mooie grote plank.' Ik kijk waar vader zich bevindt: hij zit met de jongste op schoot voor Sesamstraat en is dus het komende kwartier wel uitgeschakeld. De container trekt. Bondgenoot weet dat je mij voor een mooi stuk hout midden in de nacht wakker kunt maken. 'Hoe groot?', vraag ik. 'Twee bij een', schat hij. 'Als pappa de jongste voorleest', beslis ik. Als zij gezellig babbelend naar boven verdwijnen, vertrekken wij met de fiets aan de hand de schemering in.

Enthousiast constateer ik dat we niet voor niets zijn gaan kijken: een dikke kwaliteit spaanplaat met witte coating, inderdaad wel twee bij een meter. Zonder veel te spreken en ander geluid te maken wrikken we hem uit de container. Op de trapper van de fiets kunnen we hem ternauwernood vervoeren. Opgelucht komen we de tuin binnen: het meenemen is gelukt. Nu een lastiger gedeelte waarbij de confrontatie met Degene Die etc. niet meer vermeden kan worden: waar moet de plank staan tot er een bruikbaar doel voor is gevonden? Verstoppen kan niet, daarvoor is hij te groot. Als de plank in de weg staat, is de kans op een aanvaring met Degene Die vele malen groter; een goede plek is van het grootste belang. Horen wij binnen achtenveertig uur niets dan heeft hij gedacht: hoe komen ze dáár nu weer aan... nou ja, misschien wel ooit te gebruiken. Maar vaak is het verzet heviger en in zeldzame gevallen zet Degene het gevondene, zonder overleg, alsnog bij het vuil. Daarvan raken de verhoudingen weer zodanig verstoord dat er meestal geprobeerd wordt in oeverloze discussies elkaar tot het enige juiste standpunt over te halen. Des te zoeter is de Victorie als juist Degene iets van de door ons vergaarde zaken nodig blijkt te hebben. En deze keer was het zover.

Een heerlijk lentezonnetje, een man die opruimt en mooie nieuwe planken gaat maken voor in de schuur. Een deuntje fluiten, zagen, maar wacht eens! Wel sodeju, Bondgenoot kom eens snel naar beneden! Met de armen op de rug drentelen wij naar buiten. 'Hai pap, dat is wel mijn plank hoor, die ga ik in de hut gebruiken.' 'Ach lieverd, dit is spaanplaat, dat kun je niet in een hut gebruiken. Dat kan namelijk niet tegen water. Ik maak er wel twee planken van.' (enthousiast) 'Twee planken, twee meter lang en wel 50 cm diep: die kosten wel € 18,- in de winkel.' Hier hebben wij op gewacht. 'Dus je spaart er een boel geld mee uit pap', zegt Bondgenoot vrolijk. 'Ja, en we hebben er wel heel erg mee lopen sjouwen hoor, die plank was enorm zwaar', geef ik nog een voorzetje. 'Ja, en het was mijn idee, en het is toch wel mijn plank', hoopt Bondgenoot nu eindelijk te scoren. Schaterend geeft Degene zich gewonnen, trekt zijn portemonnee en betaalt een vindersloon voor de plank aan ons slodder-Vossenkind. Hier kunnen wij jaren op teren. Onze dag kan niet meer stuk.

Koningsdag

Koningsdag is typisch een feest dat een eendrachtige samenwerking tussen ouders en kinderen kan maken of breken. Bij ons in het dorp is er een levendige cultuur van volksfeesten. Het 'evenementencomité', gesponsord door de plaatselijke middenstand, organiseert het ene feest na het andere. Zo is er met Koningsdag een optocht en een daaraan verbonden wedstrijd: wie heeft zichzelf en zijn fiets het mooist versierd? De deelnemers lopen of fietsen achter de harmonie het dorp door. Een verdekt opgestelde jury beoordeelt bij verschillende leeftijdscategorieën de individuele en groepsprestaties. Onze jongens worden door hun vader, jaar na jaar, in een originele creatie gehesen. Eenmaal als beren ('Koninginnedag beregoed!'), eenmaal met een metershoge constructie op een skelter met aan de top een eenvoudig bordje ('Oranje boven!') en eenmaal liepen ze als wandelende gulden en rijksdaalder met de beeltenis van onze (toen nog) vorstin. Het laatste idee had bijna een volle nacht werkt gekost maar leverde prompt een eerste prijs op. Er waren ook jaren dat de jongens zich nu eens zélf wilden verkleden, wat uitdraaide op een ietwat onduidelijke creatie als 'onderwater-Batman' of een soort Zorro. Ook zonder in de prijzen te vallen waren de jongens zeer tevreden.

Na de optocht is er een kindervrijmarkt in de speeltuin. Deze vrijmarkt is een uitgelezen mogelijkheid om als ouders en kinderen eens stil te staan bij alle overvloed. Niet plechtig, maar eenvoudig speuren door het huis op jacht naar overbodige zaken. De jongste wilde ooit de complete inventaris van de logeerkamer van de hand doen: daar stonden nu eenmaal geen spullen die hij dagelijks nodig had. Gaan de kinderen hun eigen kamer omspitten dan kan het voor de vrijgevige ouder of Sinterklaas incognito wel even slikken zijn. De cadeaus waarmee je dacht een onuitwisbare indruk gemaakt te hebben worden vrolijk en meedogenloos op de stapel te verkopen goederen gesmeten. Onthoud dit ouders, als je weer eens met je hand op je portemonnee staat te twijfelen over een of andere fantastische aankoop.

Naar de optocht

Wanneer de ouders nu nog even de keukenkastjes, kelder, zolder of schuur nalopen, dan resulteert dit vast in een aardige berg welvaartsresten. Als je het goed vindt dat de kinderen dit gaan verkopen, is het geen overbodige luxe het handelen met je kinderen levensecht te oefenen. Oefen zowel het onderhandelen en de daarbij behorende omgangsvormen (verstaanbaar spreken, klanten aankijken, klanten altijd vriendelijk behandelen) als de daadwerkelijke transactie. Een vriendin van mij oefende met haar dochter het kopen van een artikel van één euro. Ze betaalde met een euro, waarna de dochter aarzelend zei: 'Nu moet ik toch nog iets teruggeven?' Dat was geen rekenfout, maar een misverstand dat bij haar had postgevat: zo gaat kopen, zij geven geld, ik geef het artikel en dan geef ik nog wat geld terug. Zo dom gedacht was dat niet, want zo gaat het ook meestal.

Joep (1986) kijkt terug

Koninginnedag was altijd een feest. Dagen tevoren ruimde ik mijn kamer op en zocht ik spullen uit die verkocht konden worden. Op de dag zelf was het vroeg opstaan en met mamma mee om spullen te verkopen. Maar vooral ook zelf de vrijmarkt afstruinen om leuke dingen te kopen van het geld dat ik net zelf had verdiend. Ik ga nog steeds graag over de vrijmarkt, op weg naar een feestje. Dan koop ik een geschminkt vlaggetje op m'n wang, laat m'n haren oranje spuiten en drink door onhandige kinderhandjes geperst sinaasappelsap.

Soms kun je wél alles hebben

Als je onmogelijk kunt kiezen tussen kopen en verkopen, dan kan het ook beide. De avond vóór Koningsdag is er een vrijmarkt in Utrecht, die om zes uur begint. Neem een zaklantaarn mee, want om negen uur valt de duisternis in. Door deze avondmarkt te bezoeken, is het mogelijk de eerste kooplust te bevredigen, en de volgende dag zelf te gaan verkopen.

Behalve het verkopen van eigen spullen en kleding kunnen kinderen zich ook op een andere manier vermaken. Ze kunnen etenswaren aanbieden of zelf geknutselde zaken. Of een instrument bespelen en met de pet rond gaan. Ze kunnen spelletjes organiseren. En ze kunnen ook gaan rondlopen en kopen. In de praktijk ontstaat vaak een mix waarbij ze het verdiende geld dromerig drentelend weer uitgeven bij een ander stalletje, hun eigen handeltje rustig in de steek latend. Zodat je, waar je 's ochtends bent vertrokken met een berg rommel om te verkopen, 's avonds naar huis kan met een berg rommel… van een ander. Onze oudste zoon is de kindervrijmarkt ontgroeid en gaat al jaren mee naar de enige echte, waar je voor dag en dauw naar toe moet: de vrijmarkt in Amsterdam.

Struinen

Na jaren ervaring, adviseren deze Struiner & Znn de volgende zaken goed voor te bereiden. Maak een lijstje van spullen waarnaar je zoekt. Een bepaalde rugzak? Een theepot, een broek, schaatsen, bepaalde sportschoenen, kleine trampoline, space scooter, etc. Begroot van tevoren wat je ongeveer over hebt voor de dingen op je lijstje en stel een apart bedrag vast dat je wilt besteden aan waanzinnige koopjes. Neem een ruime tas en een rugzak mee en pak je warm in. Zorg voor een totaal opgeladen telefoon, neem bij matige batterij een oplader mee. Drink niet teveel thee voor je vertrekt, want het kan lang duren voor je een toilet kunt bezoeken. Kleed je op enige wijze in het oranje. Dit vergroot het feestgevoel en stemt de handelaren mild. Oudste zoon kreeg zelfs eens een munt in de handen gedrukt omdat hij er zo fantastisch uitzag: hij had voor de gelegenheid zijn haar rechtop en oranje gespoten. Het geld dat je meeneemt moet van tevoren gewisseld zijn: men heeft 's ochtends nog niet terug van een briefje van twintig. Als je het gevoel hebt op een unieke schat te zijn gestoten: geef jezelf bedenktijd en pleeg overleg. App, sms, of FB met je bondgenoot. En tot slot: denk aan zonnebrand. Als je na een lange winter een hele dag de voorjaarszon op je gezicht hebt, kun je een knalrode kop oplopen.

Wat kinderen op Koningsdag kunnen verkopen:

- eigen speelgoed
- prulletjes in grabbelton
- aanmaaklimonade, sap, koffie
- zelfgebakken cakejes, versierde koekjes
- popcorn
- broodjes
- zelf gemaakte sieraden: oorbellen, haarspeldjes
- 'klei' van brooddeeg in porties verpakt
- kaarten, vlaggetjes, feestmutsen, oranje strikken
- plantjes
- verzamelobjecten van de laatste rage die weer juist is overgewaaid

Wat je op Koningsdag kunt doen:

- muziek maken
- elkaar schminken
- haren kleuren met uitwasbare spuitverf
- 'kakkerlakken'-race
- muizen/hamster/cavia wedstrijd met gokmogelijkheid
- met ballen blikjes gooien
- emmer water met op de bodem een glaasje. De deelnemer kan wat geld in de emmer gooien (de inzet) en probeert dat

in het glaasje te mikken. Als het lukt: inzet dubbel terug. Het geld dat ernaast valt, is voor de organisator.

- Variatie: de emmer water met daarin een drijvende sinaasappel. Deelnemer legt geld op de sinaasappel dat een bepaalde tijd moet blijven liggen. Als dat lukt: inzet dubbel terug. Meestal kantelt de sinaasappel en valt het geld dus op de bodem.
- Schuif-je-muntje! De organisator heeft een kraampje met een lange plank. Op het uiteinde is een zwart vak getekend. De deelnemer schuift, alsof het een sjoelsteen is, een geldstuk naar het einde van de plank. Blijft het muntje in het zwarte vak liggen, dan krijgt hij zijn inzet dubbel terug. Meestal schuift de munt er voorbij. De organisator heeft een emmertje achter de plank waar de muntjes in opgevangen worden.

Samen koken

Lang geleden boden wij onderdak aan twee leden van het Australian Youth Orchestra dat zijn tournee door Europa betaalbaar hield door de orkestleden bij particuliere gezinnen onder te brengen. Wij kregen twee lange slungels van een jaar of achttien toegewezen. Mijn vooroordeel dat je bij dit formaat mens niet meer spreekt van 'kinderen' bleek niet geheel te kloppen. Een bepaalde mate van ouderlijke zorg bleken ze toch nodig te hebben. Maar toen ze zich voorbereidden op hun grote optreden in het Concertgebouw en ik aanbood hun overhemden te strijken, schudde één van de jongens trots met zijn hoofd. 'No thank you Ma'am. My mother taught me how to wash, to cook and to iron.' Wassen, koken en strijken: hoewel vast niet onbemiddeld, had het Australische gezin hun zoon met deze vaardigheden afgeleverd. Ik keek naar onze jongens, toen nog baby en kleuter en vroeg me af wanneer je met die lessen zou kunnen beginnen. Ze hadden altijd wel mogen kijken in de keuken, erbij zitten, in de weg lopen en 'helpen'. Over hen echt leren koken had ik nog niet nagedacht.

Daan kookt (I)

Met de oudste begon de echte kookles toen hij een jaar of acht was. Zijn kookbeurt plande ik op een vaste dag in de week. Hij gaf van tevoren aan wat hij verkoos te gaan koken. Om te voorkomen dat ik een spervuur van informatie op hem zou moeten afvuren, schreef ik eerst de ingrediënten op en dan de handelingen, stap voor stap. Het is nog moeilijk om precies uit te splitsen wat je doet en waarom. Dat laatste moest ook vermeld, anders beklijft het niet. 'Als het water kookt met grote bellen, moet het vuur laag want anders stroomt het water over. Dan een deksel op de pan, dat kost minder gas.' Bij de ingrediënten schreef ik waar je dat artikel het voordeligst of het best kunt kopen, de kiloprijs en dus de prijs nodig voor deze maaltijd. Ik had natuurlijk ook een of ander kinderkookboek kunnen aanschaffen, maar die staan meestal vol met mierzoete zaligheden of kinderlijk versierde pizza's. Ik wilde nu juist het doodgewone eten onder de aandacht brengen. Anders kweek je van die gelegenheidskokers die de hele keuken verbouwen als er eens iemand komt eten, maar zich te goed voelen voor het gewone-mensen-eten.

En, even daargelaten hoe het voor mijn zoon was, ik merkte hoe heerlijk het was al deze weetjes op te schrijven en door te geven. Je leest vaak dat mensen 'normen en waarden' willen overbrengen op hun kinderen. Ach ja…wat je dóet geef je door, helaas inclusief je eigen onuitstaanbare gewoonten. Maar recepten wil ik wél doorgeven. Dat je voor de barbecue het vlees moet voorgaren. Dat je van het vocht dat daar vanaf komt verrukkelijke jus kunt maken. Dat de pasta nooit te lang moet koken. 'Luister je wel schat?'

Had de koksmaat een gerecht gekozen en ik mijn instructies aan het papier toevertrouwd, dan vroeg ik hem deze van tevoren twee keer te lezen. Vervolgens probeerde hij uit zijn hoofd, en een beetje geholpen, het koken echt zelf te doen. Waarbij hij mij aan het werk mocht zetten. Deze wekelijkse onderonsjes zagen er zo gemoedelijk uit dat het volgende kind van zes vroeg of hij ook op kookles kon.

Marieke kijkt terug

Een van de zonen studeerde een jaar op Malta en in de kerstvakantie zocht ik hem op. Hij had een appartementje vlak bij St. Julian's Bay, waar kleurige bootjes op de kade lagen, en je uitzicht had over het hemelsblauwe water. Je kon er zwemmen en duiken. In december! Maar voor mij was een etentje bij zoon het hoogtepunt. Hij had wat vrienden en vriendinnen opgetrommeld zodat ik die kon ontmoeten. Hij stookte de oven op, stortte wat bloem op de aanrecht, deed water in een kuiltje, toostte op het goede leven, en kneedde al pratend een soepel deeg. Het werd uitgerold met een lege wijnfles, daaraan was geen gebrek in het flatje. Hij sneed een berg verse tomaten, uien en had verschillende soorten kruiden, olijven, kaas en salami. Hij inventariseerde het aantal vegetariërs, diëten en andere wensen, en bakte drie versies. De pizza was heerlijk, werd rap verslonden, waarna zoon op zijn kenmerkende rustige manier aan een tweede lading begon. Muziek, geanimeerde gesprekken, geschater, veel wijn en lekker eten. Wat willen we in vredesnaam nog meer?

Daan (1989) kijkt terug

Iedereen boven de 12 jaar moet eigenlijk minstens één gerecht kunnen maken. Ik hielp altijd graag mee met koken. Daar steek je, in tegenstelling tot helpen bij de afwas, tenminste nog wat van op. Ik heb koken altijd leuk gevonden. In mijn studietijd woonde ik in verschillende landen en overal deed ik weer nieuwe inspiratie op.

Daan kookt (II)

Kinderarbeid

Kinderen blijken al levend, spelend, kleurend en zingend geld te kunnen verdienen. Of snoep. Of cadeaubonnen. Natuurlijk is kinderarbeid niet toegestaan, maar gelukkig vallen het handelen op Koningsdag, het deelnemen aan Sint Maarten of een kleurwedstrijd niet onder deze wettelijke regeling. Ook het helpen met huis-, tuin- en keukenklusjes valt er bij mijn weten niet onder. Toch is hier regelrechte winst te behalen voor zowel ouders als kinderen.

Mijn kinderen hebben altijd veel getekend, en aan kleurwedstrijden hebben ze ook altijd enthousiast meegedaan. Ze hebben natuurlijk wel een ouder of voogd nodig die de kleurplaat traceert en mee naar huis brengt. Het is mijn indruk dat de kans om te winnen bepaald wordt door het aantal keren dat kinderen meedoen, en niet door aanleg, talent of ijver. Je kunt kinderen helpen door ze aan te moedigen origineel materiaal te gebruiken. Gebruikt iedereen viltstiften? Neem eens potlood, waterverf of krijt. Kleurt iedereen netjes, voorzichtig en zacht? Vraag ze om het eens stevig en sterk te doen. Opvallen! Lapjes stof of wat glitter gebruiken misschien? Als er een echte kunstenaar in de jury zit, wordt dat weer niet op prijs gesteld, die houden van wild, sterk en oorspronkelijk.

Er zijn wedstrijden waaraan in een bepaalde leeftijdscategorie maar enkele kinderen meedoen. De zeer jonge kinderen (vanaf drie jaar) en de wat grotere (boven de tien) doen niet zoveel mee. Ik durf bijna te garanderen dat je kinderen op elke vijf wedstrijden wel een keer winnen. Voor kinderen is dat erg leuk. Ze worden geroemd om een prestatie. En of de uitslag nu via de winkel of de plaatselijke krant bekend wordt gemaakt: er zijn altijd mensen die 't lezen en het kind enthousiast aanspreken, zodat het zich enkele dagen nog min of meer beroemd waant. De prijzen zijn soms onbenullig (zoals een tamelijk burgerlijk lunchtrommeltje met reclame-opdruk, dat door de prijswinnaar evenwel jaren is gekoesterd als 'mijn prijs'). Maar soms zijn ze erg leuk: een grote slagroomtaart met de naam van het kind erop. Of extravagant, zoals de cadeaubon van vijftig euro, uitgeloofd door een pas verbouwd bankfiliaal. Of geweldig, zoals boekenbonnen tijdens de kinderboekenweek.

Het écht helpen met kleuren raad ik af, al kon bij ons de vader van de jongens (tekenaar van beroep) het niet laten ze mondeling advies te verstrekken. Advies dat ze overigens eigenwijs in de wind sloegen: 'Het is mijn tekening pap!' Een vriendin van mij beleefde eens hachelijke minuutjes toen ze met haar vijfjarige dochter en de oppas naar de prijsuitreiking ging. De moeder had in het bijzijn van de dochter de tekening wat mooier gemaakt en hoopte, nu ze op weg waren naar de prijsuitreiking, dat de dochter dat vergeten was. Mooi niet. 'Eigenlijk is de prijs ook voor jou hè mam', zei ze vlak voor ze het podium op moest. De moeder vond het te ver gaan het kind tot klinkklare leugens aan te zetten en stond verstijfd in twijfel. De oppas had gelukkig minder scrupules en zei 'Schat, jij hebt die tekening helemaal alleen gekleurd, OK?' Inderdaad vroeg de prijs uitreikende dame aan het kind: 'of ze dat nu allemaal zelf bedacht had...' Het kind volstond met een onduidelijk lachje, daarmee de perfecte oplossing kiezend. Ze had de boodschap van de oppas begrepen, maar jokken in het openbaar wilde ze net als haar moeder evenmin. De moeder werd daar staande in het publiek een jaartje ouder en heeft nooit meer meegekleurd. Niet alleen kleurwedstrijden zijn de moeite waard, ook puzzel- en internetwedstrijden, wedstrijden via tijdschriften en winkels: houd ze in de gaten.

Een andere manier waarmee kinderen geld verdienen, is het lopen langs de deuren voor een goed doel. Kinderpostzegels worden van oudsher door kinderen verkocht, de padvinderij had haar 'heitje voor een karweitje' en menige basisschool heeft de wervende kracht van kinderen ontdekt en stuurt ze de wijk in om het magere schoolbudget wat aan te

Sint Maarten

vullen. Dat kinderen volwassenen uitnodigen tot grote gulheid is goed te zien in ons deel van het land waar Sint Maarten wordt gevierd. Op 11 november trekken de kinderen in groepjes langs de huizen met in hun hand een (zelfgemaakte) lampion en om hun hals de hengsels van een linnen tas. Ze bellen aan en als er wordt opengedaan zingen ze een variatie van één van de vele Sint Maartenliedjes. De bewoners dienen vertederd in de deuropening te staan, het gezang aan te horen en een beloning uit te delen. Deze beloning heb ik geheel volgens ons uit de hand lopende consumptiepatroon jaarlijks zien toenemen. Was het vroeger een snoepje, bij een enkele gulle mevrouw twee: nu worden er zákjes snoep uitgedeeld én fruit. Jongste zoon die op Sint Maarten verjaart en als het donker invalt al aan het eind van zijn Latijn was, heb ik destijds dikwijls halverwege de tocht moeten afvoeren. Ten eerste was hij te jong en te moe en ten tweede trokken de hengsels van het linnen tasje door het gewicht van de inhoud zo hard aan zijn nekje dat de striemen er in stonden.

Bij thuiskomst mochten ze vijf dingen uit de bomvolle tassen kiezen (na alles wat ze al lopend en zingend reeds verorberd hadden), waarna ze tevreden, plakkerig en enigszins misselijk in bad gingen. Als ze in bed lagen, sorteerde ik de inhoud van de enorme zakken. Het fruit was genoeg voor weken. Het losse, onverpakte snoep ging in de snoeptrommel voor Snoepdag. Het verpakte kon wat langer bewaard en werd verstopt. Uit deze voorraad kon ik zo'n beetje tot maart de trommel voor Snoepdag vullen.

Iedereen helpt mee

Sander Clarijs (38), woonbegeleider, Judith Clarijs (33), Lucas (8), Sarah (6), Eva (5), Naomi (2) en Hannah (9 maanden).

Judith Clarijs: 'We laten onze kinderen al heel vroeg meehelpen met huishoudelijke taakjes: tafel dekken, afruimen en afwassen. Zo leren ze dat iedereen iets kan bijdragen. Wij komen van heel weinig rond. Mobieltjes hebben we niet, het zal je verbazen hoe goed je zonder kunt. Een duur dagje uit doen we niet, het is praktisch ook haast onmogelijk: onze auto is niet groot genoeg voor ons allemaal. Dat is soms niet leuk maar daardoor besparen we wel veel geld. Sander doet met de bakfiets de boodschappen. Op vakantie gaan we niet, maar de oudere kinderen gaan in de zomer naar meerdere kindervakantieweken in de buurt. Zo hebben zij toch een geweldige tijd en zijn we met drie thuis toch even wat mobieler, en kunnen we bijtanken.'

Helpen in huis

Het helpen van kinderen met dagelijkse karweitjes valt eigenlijk niet onder het hoofdstuk geld verdienen. Misschien wel onder de kop 'geld uitsparen'. Er zijn kinderen die in huis geen vinger hoeven uitsteken. Het takenpakket van vrouwen is daarentegen steeds verder uitgebreid. Het runnen van de BV-gezin kan de dagen vullen, maar moet vaak gedaan worden naast het zogenaamde echte werk. Zelf maak ik iedere zomervakantie een klein lijstje van taakjes die de diverse kinderen het komende schooljaar dagelijks moeten doen. Afgezien van het streven naar het bewaren van een goed humeur en vriendelijke omgangsvormen in de ochtendspits stonden daar vooral zaken op die het kind zelf aangaan, zoals het klaarzetten van de eigen rugzak met lunchpakket. Maar ook dingen die meer in het algemeen belang zijn, zoals afdrogen of de vaatwasser uitruimen.

En tot slot vraag ik een paar keer per jaar om hun diensten, puur en alleen om mijzelf te helpen: in de oogsttijd. In september heb ik namelijk enkele emmers rozenbottels nodig om siroop en wijn van te maken. Bij het plukken moeten alle hens aan dek, want in mijn eentje zou het dagen duren. In oktober rapen we hazelnoten. De bomen staan door het hele dorp, je moet de plaatsen weten. De noten gaan door de muesli, de sla, ik bak notentaarten en er staat altijd een schaal met noten op tafel. Daarvan mag iedereen vrijelijk snoepen, ook op bezoek zijnde kinderen. En dat doen ze. Er zijn kinderen die binnenkomen, eerst een noot kraken, en dan pas groeten.

Zakgeld en sparen

Kleine kinderen snappen niets van geld. Je kunt er dingen mee kopen en als het op is, haal je het bij de bank. Ik hoorde een kleuter eens vragen of ze in zo'n vliegtuigje bij de supermarkt mocht, waarop de moeder antwoordde dat ze geen klein geld had. 'Dat kun je toch pinnen', zei de kleuter zelfverzekerd.

Pinnen, chippen, dippen, creditcards, (contactloos) betalen met je smartphone, Ideal, overmaken, betalen met briefjes van vijf, tien, honderd, of vijfhonderd... Reclame, lenen, rente, hypotheken, belasting (wat voor belangrijke dingen daar allemaal van gedaan worden, jouw school bijvoorbeeld en de politie waar je zo graag bij wilt), zelfs belastingaftrek... Wij moeten het allemaal uitleggen. Terwijl ik al zo'n moeite heb mijn eigen pincodes te onthouden. Een troost: zo weinig als de kleintjes ervan snappen, zo vroegrijp zijn de groteren. Eenmaal boven de tien pakken onze oudsten ons bij de hand, programmeren de HD recorder, zorgen dat je mail kunt ontvangen op je smartphone, laten zien hoe je foto's plaatst op Twitter of Facebook, en leggen daarbij net zoveel geduld aan de dag als wij nu plegen op te brengen voor onze kleuters.

Praten over het wezen van geld is een investering in onze gezamenlijke toekomst.

Of dit invloed heeft op het financiële gedrag van de kinderen kunnen we later pas vaststellen. Vooralsnog heb ik de indruk dat ze handelen naar aanleg, karakter en instinct. De één laat het geld rollen en koopt echt bijzonder interessante dingen, bijvoorbeeld op Koningsdag. De ander spaart steeds tot hij een rond bedrag heeft en beloont zichzelf bij het overschrijden daarvan met de aankoop van een portie snoep. En dan weer op naar het volgende streefbedrag.

Volgens het Nibud is het zaak af te spreken wat ze met hun zakgeld moeten doen. Kleding? Cadeaus? Speelgoed? Moeten ze ervan sparen? Alleen als dat duidelijk is kun je zakgeldbedragen met elkaar vergelijken. De gemiddelde bedragen kun je nakijken op de site van het Nibud, www.nibud.nl

Zelf heb ik bij de tiende verjaardag een aantal veranderingen doorgevoerd. Naar mijn gevoel beginnen kinderen rond die tijd ineens echt geld nodig te hebben. Bovendien ben ik een deel gaan overmaken naar hun eigen rekening, per maand automatisch, en een kleiner bedrag handje contantje. Dit om ze te wennen aan het maandelijks uitbetalen. Ze leren ook omgaan met het geld op de bankrekening te zetten en het er weer afhalen. De ervaring leert dat ze het contante geld makkelijk uitgeven, en het geld op de bank makkelijker sparen, omdat het er toch al op staat. Ik gaf liever aan de ruime kant zakgeld om ze echt te leren met geld om te gaan. Met die kleine bedragen blijft het toch een beetje winkeltje spelen.

Sparen wij voor de kinderen? Je wordt er wel in hevige mate toe aangezet. Om te beginnen door de hostess aan je kraambed die al begint over de studiekosten van het pasgeboren wurm. Hoe minder geld ouders hebben, hoe harder ze proberen toch iets voor hun kinderen te sparen, heb ik het idee. Er zijn ouders die proberen de kinderbijslag te sparen 'omdat dat geld toch voor de kinderen is'. Andere ouders hebben dat geld verschrikkelijk hard nodig en gebruiken het, maar liggen weer wakker van het schuldgevoel. Als ouders krap zitten en toch absoluut willen sparen voor hun kinderen, is het beter als ze in ieder geval zelf de zeggenschap over het geld zien te behouden. Als het echt nodig mocht zijn, moeten ze een deel van het tegoed kunnen gebruiken, bijvoorbeeld voor de studie.

Maar is het absoluut noodzakelijk om te sparen voor je kinderen?

Voor mijn oudste zus was er nog wel een zilvervloot, maar ik geloof dat mijn ouders zo de zenuwen kregen van die verplichte minimuminleg, dat de 'vloot' voor de volgende kinderen tot zinken is gebracht. Voor mij was er dus geen zilvervloot of gespaard bedrag. Ik heb nooit gedacht: 'wat waardeloos, ik krijg niet eens een bom duiten mee.'

Toch had ik voor alledrie de jongens een eigen spaarrekening. Door opgewekte aanvaarding van een iets soberder levensstijl droegen zij er tenslotte ook toe bij dat er geld overbleef. Ik vond dat een deel hen toekwam. Ze vonden dit een spannend idee en fantaseerden er wel eens over wat ze er later mee zouden kunnen doen. De spaarduit had een paar voordelen.

1: De bekende chantagemogelijkheid, door mij opgewekt toegepast: als je niet rookt betaal ik de rijles. Bij de derde zoon voegde ik daar – heel oneerlijk – nog een eis aan toe: niet brommer rijden. Je hoort vaak van (rokende? Of minder besliste) ouders: 'als je roken (of drinken) verbiedt gaan ze het juist doen.' Mijn ervaring is dat dit niet klopt. Bij alcoholgebruik is er inmiddels onderzoek naar gedaan. Kinderen die thuis mogen drinken, blijven hun hele leven meer drinken en komen vaker in de problemen dan kinderen die thuis niet mogen drinken. Ik denk dat het met roken ook zo werkt. Gewoon volstrekt duidelijk zijn: wij willen het niet!

Bij twee van de drie zonen leek er geen grote verleiding te zijn om te gaan roken. Op hun school rookte bijna niemand. Maar op de school van de derde was het vreemd genoeg andersom, daar was roken de norm. Hij kreeg regelmatig een sigaret aangeboden. Steeds zei hij: 'Nee dank je, ze betalen m'n rijles als ik niet rook.' Daar was respect voor, vaak kreeg hij te horen: 'heel goed, houden zo, ik wou dat ik nooit was begonnen.' Kortom: mijn zonen wisten dat er een spaarpot voor ze was, maar dat ze er wel wat voor moesten doen.

2: Ik merkte dat het potje me ook geruststelde als de kinderen grote risico's namen. Bijvoorbeeld wilden spelen op een gloednieuwe computer. Ik kreeg daar ouderwets de zenuwen van en riep: 'Pas op dat er niets stuk gaat!' (niet geheel ongegrond: de eerste tweedehands computer is door de techno-boys tot twee keer toe opgeblazen, waarna hij niet meer te reanimeren was). Later voegde ik daar dan ook aan toe: 'Als deze computer nu stuk gaat en er moet een nieuwe komen, dan haal ik dat van jullie boekje af.' Een soort eigenhandige WA-verzekering. De onkwetsbaarheid die kinderen meestal aan de dag leggen (ja, dikke neus, dat kunnen wij toch niet betalen) was daarmee wel verdwenen.

Financiële opvoeding

Werkende jongeren kunnen slecht met geld omgaan, zo vertelt het Nationaal Instituut voor Budgetvoorlichting, het Nibud, de afgelopen jaren regelmatig. Niet echt verbazingwekkend: verstandig omgaan met geld is omgeven met vooroordelen. Net zoals verschillende soorten talenten gekoppeld worden aan het hebben van bepaalde eigenschappen. In goed gezelschap kun je zonder probleem beweren dat je nooit een bal van wiskunde hebt gesnapt, dat je nu eenmaal een echte alfa bent. Dat staat zelfs een beetje chique. Ben je goed in wiskunde, techniek of computers, dan ben je waarschijnlijk minder sociaal. Het hebben van twee linkerhanden is geen probleem; het wordt makkelijk verbonden met slimheid op andere terreinen. Beweren dat je niets van muziek weet, of van literatuur, of überhaupt van kunst wordt lastiger. Het goed kunnen omgaan met geld heeft een dubbel beroerde status. Je maakt al geen beste beurt als je van rekenen houdt. Overzichten maken van inkomsten en uitgaven heeft iets tuttigs, kleinzieligs en armoedigs. Het staat stoer als je geld tot non-onderwerp verklaart. Dat was in elk geval zo voor de crisis, dus voor 2008.

Vóór de oorlog en in de jaren van schaarste erna, was het letten op de centjes juist een teken van fatsoen en beschaving, óók voor jongeren. In het boekje *Rondkomen met een klein salaris*, een deeltje in de serie Kanarie-boekjes van het Succes-Instituut (1949), worden jongeren pagina's lang gewaarschuwd voor het maken van schulden. En kunnen ze lezen over de werkman en zijn vrouw, die hun weekgeld verdeelden over een serie kommetjes die op de kast stonden. Een kommetje voor de huur, één voor eten, kleding en zakgeld voor de man. 'Aan het eind van de week werden alle kommetjes geleegd in het spaarkommetje dat alleen bij zeer speciale aankopen werd aangeraakt. Iedere maand werd het overgespaarde naar de spaarbank gebracht, voor het huisje dat zij later hoopten te kopen. Eigenlijk niets anders dan de Succes-begrotingsmethode!' Het Succes-Instituut adviseert de op afbetaling gekochte radio met automatische platenwisselaar gewoon weer terug te brengen en niet meer op afbetaling te kopen. 'Rondkomen van een klein salaris kan haast altijd, vooropgesteld dat het jonge stel zich niet in de schulden steekt. Zeker, zij zullen strijd om het bestaan voeren. Maar wat zou dat? Des te zoeter is de overwinning en des te meer respect en liefde krijgen zij voor elkaar, als zij zijde aan zijde strijden.'

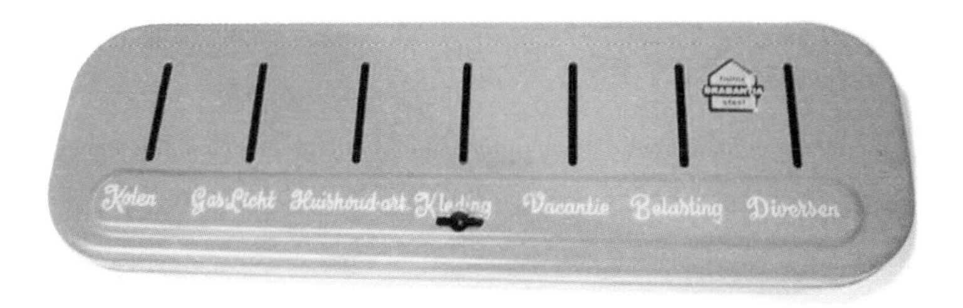

De jaren-vijftig huisvrouw maakte een begroting met behulp van zo'n langwerpige Brabantia spaarpot. Vakjes voor Kolen, Vacantie, Gas-Licht, Huishoud-artikelen, Kleding, Belasting en Diversen. Wat overbleef ging naar een spaarbankboekje, dat samen met de spaarpot in de linnenkast werd opgeborgen. Ik bezit zo'n spaarpot, om te laten zien op lezingen over 'vrolijk besparen'. Wanneer het publiek bestaat uit oudere mensen gaat er een intens tevreden geknor door de zaal als ze hem zien en herkennen. De mensen van middelbare leeftijd herkennen het spaarblik van hun moeder, en jongeren trekken hun wenkbrauwen op. Aan hen moet eerst worden uitgelegd waar het geval voor diende, als betrof het een middeleeuws folkloristisch gereedschap. Het maken van een kleine begroting is geschiedenis. Mensen komen niet meer op het idee gewoon aan de keukentafel een lijstje te maken van inkomsten en uitgaven. Laat staan dat aan hun kinderen te leren.

Dat bleek ook toen ik als docent voor de workshop 'Meer doen met minder geld' stond. Het is de bedoeling deelnemers te voorzien van een overvloed aan besparende ideeën, opgewekte peptalk, gemixt met serieuze financiële informatie. Bij de voorbereidingen twijfelde ik of het onderwerp 'maandbegroting' op het programma moest, uit angst dat het voor de volwassen deelnemers te simpel zou zijn. Die angst bleek ongegrond. Meer dan de helft van hen vond (zo bleek uit de schriftelijke evaluatie) het onderdeel van een maandbegroting maken het nuttigst. Resultaat van vijftig jaar niet mogen spreken over eenvoudig financieel beheer: de meest eenvoudige tip (kijk eerst wat je hebt en ga dan pas uitgeven) wordt als een briljante eye-opener ervaren. Ook de uitkomsten van het Nibud-onderzoek over het zorgwekkende financiële gedrag van werkende jongeren, is een logisch gevolg van niet praten over omgaan met je geld. Van wie zouden jongeren er iets over hebben moeten leren?

'Ik leen, dus ik leef' stond er boven een artikel in het *Volkskrant Magazine*, zomer 2014. De auteur Pauline Bijster is dertig-plus, woont samen met vriend en kinderen en verdient schrijvend de kost. Als hun wasmachine én auto het kort na elkaar begeven is de grote vraag: 'lenen ze van háár ouders of van die van hem?' Zij en haar vrienden hebben zelden iets op hun rekening, maar wel de nieuwste iPhone. Ze werken hard, maar de crisis werkt in hun nadeel, of ze werken aan slecht betaalde kunstzinnige projecten. Als ze zin hebben in koffie kopen ze koffie bij Starbucks, als ze zin hebben in nieuwe kleren kopen ze die. Ze studeerden dat wat ze leuk vonden en hebben een flinke studieschuld. De in het artikel geciteerde Motivaction-onderzoeker Lampert zegt dat jonge mensen aan de ene kant hechten aan onafhankelijkheid, maar aan de andere kant door hun ouders en de maatschappij daar niet goed op zijn voorbereid. Een understatement! Bijster bekent dat zij inderdaad rustig leende voor haar studie, ervan uitgaande dat zij later rijk en beroemd zou worden.

Ik verbaas me over die onvolwassenheid. Ik weet dat mbo'ers en jongeren zonder diploma steeds vaker in de schulden komen. Ze worden door de commercie verleid om meer uit te geven dan ze zich kunnen veroorloven. In die gevallen maak ik me vooral boos op de bedrijven die álles doen om de omzet te vergroten, ook als daardoor een deel van de jongste generatie voor de rest van zijn leven klem zit. Maar wat moet je nu aan met die goed opgeleide gasten, die financieel ongeletterd wensen te blijven?

Simpel: ouders die voor gewone, te verwachten kosten geld uitlenen, houden het gedrag van het grote kind in stand. Van mijn drie zonen had er één luie leenneigingen. Hij verwachtte geld te gaan verdienen en wilde daar van mij, maanden vooraf, een voorschot op. Ik verstrekte 10% van het te verwachten geld, maar een week later klopte hij weer aan. De kern van niet kunnen omgaan met geld is de neiging geld dat je (nog) niet hebt alvast uit te geven. Waardoor je rood komt te staan, en het inkomen er alleen voor zorgt dat je minder rood komt. De maximale roodstand wordt dan het nieuwe 'op'. Dan loop je dus chronisch achter de feiten aan. Dat gun je niemand. Ik heb voor de zoon opgeschreven waarom ik het niet deed. Omdat álle geldproblemen zo beginnen en ik, uitgerekend ik, de eerste stap niet wilde faciliteren.

Hij vond dat toen ontzettend stom en *gay* en *pussy*, en had daar de leeftijd ook voor. Dat is inmiddels allang totaal anders. In nood zal ik altijd klaar staan, dat weten de zonen heel goed. Maar wie auto wil rijden moet sparen voor de APK, voor het onderhoud, de verzekering en de volgende auto. Wie een gezin runt moet een spaarcent hebben voor het geval de wasmachine het begeeft. De kans dat de zonen voor iets triviaals zullen aankloppen is nihil. Soms bied ik hulp aan en zeggen ze: 'nee joh, ik kan het zelf, ik wil het ook zelf doen'. Dan ben ik trots en blij. Het is immers veel stoerder en leuker je eigen broek op te houden.

Zeventig procent van de jongeren zegt wel eens, of vaak geld tekort te komen. Hetgeen wordt opgelost door minder te gaan uitgeven, maar toch ook vaak door geld te lenen. De helft van de jongeren leent kleine bedragen vooral bij vrienden en ouders. Vijfendertig procent leent grotere bedragen, bij de bank. De gemiddelde schuld (van degenen die schulden hebben) bedraagt 1400 euro. Wel 5 procent staat voor een kleine 5000 euro in het rood. Hoe ouder de jongeren, hoe hoger de schuld. Typisch is dat een kwart van de jongeren die nog thuis wonen en toch redelijk verdienen, daarnaast ook nog geld krijgen van hun ouders: gemiddeld ruim 75 euro per maand. Ook verbazingwekkend: als de jongeren op zichzelf gaan wonen en dus vaste lasten als huur, energie en boodschappen moeten betalen, gaan zij op dezelfde voet door met lekker spenderen aan leuke dingen. De schulden van de samenwonende jongeren zijn dan ook het hoogst: samen staan zij voor bijna 9000 euro rood. Wat echt ongelooflijk is, is dat het merendeel van de jongeren met schulden zich daar geen zorgen over maakt. Slechts 15% maakt zich er regelmatig druk over. Terwijl de vooruitzichten op een oplossing niet gunstig zijn. Want juist bij deze groep werkende jongeren, die niet al te hoog zijn geschoold, is niet te verwachten dat het inkomen flink zal stijgen.

Zijn de mensen van het Nibud nu de enigen die deze cijfers zorgwekkend vinden? Of vinden we het wel best dat er een generatie aankomt die begint aan een leven vol schulden en dus beperkingen? Die nooit een spaarcentje achter de hand zal hebben, moeilijk een hypotheek zal kunnen krijgen en bij elke onverwachte of tegenvallende rekening dieper in het moeras zakt? Dat de banken woekerwinsten maken met het verkopen van hun producten aan volwassenen is hun goed recht. Dat jongeren hun nekjes in de door banken vriendelijk opgehouden strop steken en zich blauw betalen aan rente, maakt mij opstandig. Maar wat valt er aan te doen?

Mensen kunnen alleen iets aan (probleem)gedrag veranderen, als ze zich bewust zijn van het probleem en als ze zelf de wens hebben iets te veranderen. Of het daarbij gaat om het financieel gedrag, of problemen bij het omgaan met alcohol, roken of eten: de mechanismen zijn hetzelfde.

In plaats van de junkie kun je ook de dealer aanpakken. Ten minste zou je banken kunnen verplichten aan al hun wervende teksten een waarschuwing toe te voegen. Zoiets als 'roken schaadt de gezondheid' en 'in het verleden behaalde rendementen bieden geen garantie voor de toekomst.' 'Schulden beperken de vrijheid' of 'schulden verpesten je leven' in alle bankfolders, en ook op het afschrift, in elk geval iets dreigender dan 'geld lenen kost geld'. Zoals de overheid nu verplicht wordt bij financiële producten een bijsluiter te leveren, zouden banken verplicht kunnen worden de betaalde rente maandelijks op het afschrift te vermelden. En waarom geen wettelijke maatregelen, ter bescherming van jongeren in het financiële verkeer? Jongeren zouden bijvoorbeeld niet meer dan hun eigen maandinkomen moeten kunnen lenen, of voor niet meer dan dat bedrag kunnen kopen op afbetaling.

Maar ouders kunnen ook zelf van alles bijdragen. Praten over geld, kinderen stimuleren te sparen, overleggen met kinderen over waar ze voor sparen en welke doelen ze hopen te bereiken. En alleen in zeer uitzonderlijke noodgevallen aan ze lenen, en het ze dan ook terug laten betalen.

Hoofdstuk 6

Praktisch besparen

Inmiddels heb je vast wel ideeën opgedaan. Je bent misschien besparingstips tegengekomen die je best zou willen toepassen, en tips die je onmiddellijk plaatst in de categorie 'dat nooit'. Op lezingen vragen mensen vaak: 'Hoe zal ik beginnen?' Ze vrezen het oordeel van de kinderen. 'Ze zien me aankomen!' Of ze schamen zich en hebben tot nu toe manhaftig geprobeerd alle zorgen uit het blikveld van de kinderen weg te houden. Vaak ten koste van zichzelf.

Een goede hulp bij het beginnen met besparen is het vaststellen van een besparingsdoel. Staat het gezin elke maand rood? Hoeveel? Willen de kinderen al geruime tijd iets speciaals? Een reisje? Een eerste stap is een vergadering te beleggen met de kinderen en te vertellen wat de achtergrond hiervan is. Je staat rood en wilt de achterstand inlopen. Of er is een schuld die je dolgraag afbetaald zou zien. Of er is precies genoeg geld, maar te weinig voor het vervullen van een gezamenlijke wens. 'Kinderen, luister. Ik wil met jullie hulp een bedrag van duizend euro sparen, om het rood staan weg te werken. Als het lukt, kunnen we daarna doorsparen voor iets gezamenlijks.' Kijk rustig hoe de kinderen reageren.

Tweede stap is een week lang álle uitgaven bijhouden. Waar gaat het geld eigenlijk heen? Om een preciezer beeld te krijgen is een langere periode nodig. Schrijf alles op of gebruik de bewaarde kassabonnen. Bekijk deze uitgaven eens samen met de kinderen. Zijn er posten waarvan zij zelf zeggen dat er wel wat

↖ Zusjeskringloop. Zie het interview op pagina 157.

af kan? Probeer eens een lijstje te maken van bedragen die in theorie bespaard kunnen worden. Minder snoep? Minder frisdrank? Misschien een abonnement opzeggen en dat tijdschrift voortaan in de bibliotheek lezen? Zakgeld wat lager? Letten op energiegebruik in huis?

Het Gezins Besparings Cijfer

De derde stap is het optellen van alle besparingen. Stel, je komt tot een bedrag van € 50,- per week, met medewerking van alle gezinsleden te besparen zonder dat het een verlies aan comfort oplevert. Het Gezins Besparings Cijfer is dan € 50,- per week.

Als vierde stap maak je een planning. De schuld van € 1.000,- zou met een besparing van € 50,- per week in twintig weken kunnen worden afgelost. Maak een thermometer waarop de geplande stand is aangegeven, en houd de werkelijke stand bij. Het kan heel goed dat iedereen zo enthousiast raakt dat het veel sneller gaat dan gepland. Het is leuk om samen iets na te streven, en geweldig om gezamenlijk een probleem op te lossen. Halverwege kan een vergadering worden belegd. Houdt iedereen het vol? Wil iemand een besparing inleveren en ruilen voor een andere? Of wil men terug naar één keer per week frisdrank in plaats van helemaal niets meer, en verzinnen we hiervoor een alternatieve besparing? Als het doel is bereikt, is het leuk nog een week door te sparen en daar een feestje van te geven. Of er extra uitgebreid en lekker van te koken.

Wil je echt een diepgaand inzicht krijgen in je financiële situatie en de greep op je geldzaken optimaal maken, dan zou je het boek mijn laatste boek *Sta financieel sterk* kunnen lezen (lenen bij de bibliotheek, zie hiervoor de gegevens achterin dit boek). Daarin staat een stappenplan waarmee je je spaardoelen kunt bereiken. Dat je met alle gezinsleden samen een eigen systeem bedenkt, kan een extra stimulans zijn om je aan de gemaakte afspraken te houden.

Bij het bepalen van het besparingscijfer kijk je vooral naar de optelsom van de kleine besparingen. Er zijn echter ook grotere uitgaven die maar sporadisch terugkeren. Voor kinderen zijn dat bijvoorbeeld de aanschaf van een fiets, groot speelgoed, skates of schaatsen. Wat vaker heb je uitgaven voor kleding en kapper, toiletartikelen, clubs, sport, huisdieren, computer en software. Verderop wordt aan deze wat duurdere zaken apart aandacht besteed.

In het hoofdstuk over baby's schreef ik: In verwachting? Koop niets! Dat is nog uit te breiden tot: Iets nodig? Koop het niet! Denk eerst na, kopen kan altijd nog. Tijdens mijn lezingen som ik vijfentwintig (eerlijke) manieren op om aan iets te komen. Kopen en de volle prijs betalen is slechts één manier. Je kunt je eerst oriënteren. Zijn er aanbiedingen? Welk merk heeft de beste prijs-kwaliteit verhouding? Je kunt onderhandelen, misschien afdingen. Is het artikel op de markt verkrijgbaar? In een tweedehands-winkel? Via een kleding- of speelgoedbeurs, een rommelmarkt, op Koningsdag? Je kunt op Marktplaats kijken (sorteren op prijs), en op www.gratisoptehalen.nl.

Kun je het misschien zelf maken? Kun je ruilen of huren? Kun je het winnen in een prijsvraag? Lenen, of vragen voor een verjaardag? Heeft iemand het voor je op zolder of in een garage? Of staat het bij het vuilnis? En tot slot: van uitstel komt soms afstel. Heb je het echt nodig? Je hebt zoveel jaren zonder gedaan.

Lenen, ruilen, delen

Sinds de crisis zijn er tal van nieuwe initiatieven ontstaan. Een selectie:

Krijgdekleertjes.nl – Via deze site kun je pakketten kinderkleren en speelgoed ruilen. Je betaalt een paar euro per pakket en werkt daarnaast met ruilpunten.

Peerby.nl – Via deze site kun je zelf spullen te leen aanbieden of gratis spullen lenen van je buren. Je geeft bijvoorbeeld aan dat je een sjoelbak zou willen lenen en krijgt een bericht als iemand in de buurt er eentje voor je heeft. Erg leuk.

Thuisafgehaald.nl – Via deze site kun je zelfbereide maaltijden voor een klein bedrag verkopen aan mensen uit de buurt. Zelf ergens een maaltijd afhalen kan ook.

Gratisoptehalen.nl – Deze website, waar gratis spullen worden aangeboden, laat je van de ene verbazing in de andere vallen. Wat mensen zomaar wegdoen, je gelooft je ogen niet.

Repaircafe.nl – Je kunt met een kapot artikel naar een repair Café, meestal in een buurthuis, en daar repareer je het als het lukt zelf, samen met een vrijwilliger die er verstand van heeft.

Kleding

Aan doorgewinterde consuminderaars wordt vaak gevraagd snel een punt te noemen waarop je nu eens flink kunt besparen. Grote bedragen dus. Het liefst antwoord ik dat het bij al dan niet vrijwillige soberheid juist draait om de optelsom: de vele honderden mogelijkheden om dingen net iets anders, net iets goedkoper te doen. Besparingen die dagelijks terugkomen, lopen op den duur op tot kapitalen. 'Ja, maar grote besparingen, dingen die echt zoden aan de dijk zetten', blijft men aandringen. Goed dan: dat is bijvoorbeeld het wegdoen van de eerste of tweede auto. Verder stoppen met roken, minder verzekeren... En ook op kleding valt drastisch te besparen. 'Kleding?! Je gaat toch niet je kinderen in tweedehands kleding laten lopen?' Discussie hierover is eigenlijk niet nodig. Als je dit soort dingen niet wilt: niet doen. Er zijn genoeg andere mogelijke besparingen die misschien beter in je straatje passen.

Ik werd een keer gebeld door iemand die jaren creatief moederde en haar grootste plezier was dat de oudste dochter van achttien nu al trekken van een bewuste consument begon te vertonen. Hoe ze dat had aangepakt? 'Ik heb ze nooit gedwongen. Ze kregen kleedgeld. Mijn dochter kwam ook eens kijken in de dure kleding-boetiek waar ik toen werkte. Ik liet haar zien hoe groot de marges zijn tussen inkoop en verkoop.

Daarvan werd ze wit om de neus. Zij kocht voortaan tweedehands en hield het kleedgeld over voor andere dingen.'

Kleding is een killer. Toen ik een oproep deed over ervaringen met 'consuminderen met kinderen' kwamen er veel reacties die kleding betroffen. Een mevrouw schreef: 'Hier een briefje van een vrekmoeder/moedervrek (kies zelf maar). Onze kinderen zijn nu vijf, zes en zeven jaar plus een baby van vierenhalve maand. Consuminderen met kinderen betekent voor mij (bijna) nooit nieuwe kleding kopen. Ieder seizoen krijg ik steevast van alle kanten gebruikte kinderkleding. Ik krijg zóveel dat ik haast niets meer hoef te kopen. Voor het winterseizoen kreeg ik zeven volle bananendozen plus enkele plastic zakken. Van alles zat er in: broeken, truien, rokken, jurken, jassen, sokken, warme laarzen, maillots, enz. Weet je waarom ik – denk ik – telkens zoveel krijg? Omdat ik er zo oprecht blij mee ben en nooit vergeet de gevers er hartelijk voor te bedanken. Dan vinden ze het leuk om het aan jou te geven!'

We kregen ook tips over allerlei soorten kledingbeurzen en -markten. Een moeder schreef: 'Wij hebben een zeer actieve buurtvereniging die veel doet voor ouders en kinderen. Twee keer per jaar organiseert die in het buurthuis een grote kinderkledingbeurs. Dat loopt als een tierelier. Op vrijdag kun je spullen inbrengen. Ze hebben min of meer vaste prijzen: € 3,- voor een sweater, € 4,- voor een broek. De helft van de opbrengst is voor de inbrenger, de helft voor een goed doel. Op zaterdagochtend is het markt. Je moet echt precies in je hoofd hebben wat je zoekt, want het vliegt weg. Ze hebben daar een aparte ruimte voor babyartikelen en kleding voor kinderen tot één jaar. Als je vroeg bent, heb je echt keus. Jasjes, pakjes, buggy's, autostoeltjes, alles. Die markten zijn in de herfst en de lente, dus vlak voor het winter- en zomerseizoen. Ik zet die data in mijn agenda, en in de week ervoor mest ik de kledingkasten uit. Dus bijvoorbeeld vóór de herfstmarkt sorteer ik al het zomerspul: wat kan ik volgende zomer nog gebruiken en wat gaat in de doos voor 'te klein'. Dan bekijk ik wat ik nog heb aan winterspul en voor wie. Zo weet ik precies wat ontbreekt. Dat is meestal niet veel, ik krijg van diverse kanten. Dan ga ik dus op die markt kijken. Wat ik daar niet aantref, koop ik eventueel nog nieuw. Meestal is dat niet nodig.'

Een andere moeder van twee kinderen schreef over kleding: 'Ik beschouw nieuwe kleding niet als superieur, en bied tweedehands kleding met hetzelfde enthousiasme aan mijn kinderen aan als nieuwe. Vaak ben ik juist heel tevreden als ik voor een habbekrats iets naar hun smaak heb kunnen vinden. Ik voel me dan als een jager uit het stenen tijdperk die vol trots de buit laat zien. Dat enthousiasme breng ik op hen over. Als ik mijn tienjarige zoon vraag of hij denkt dat er nog meer kinderen op school wel eens tweedehands kleding dragen zegt hij: 'Hoe kan ik dat nou zien?' En zo is het precies. Na drie keer wassen is het een niet meer van het andere te onderscheiden. Een voordeel van tweedehands kleren is dat je al weet of het kledingstuk na verschillende wasbeurten zijn pasvorm en kleur behouden heeft. Wel moet je altijd nakijken of er vlekken of gaatjes in zitten. Laatst heb ik voor twee euro een gaaf mannenjack gekocht, waarvan de rits kapot was. Mijn moeder had nog een rits en heeft die erin gezet. Voilà. Ook gloednieuwe spijkerbroeken die te klein zijn gekocht, kun je tweedehands vinden. Baby's groeien erg snel uit hun kleertjes, dus er is ook erg veel babykleding te koop die er nog als nieuw uitziet. Ik heb van ieder van ons de maten (vooral bij broeken en schoenen belangrijk) en een inventaris van wat we nodig hebben. Verder heb ik ook altijd een centimeter bij me als ik mijn vaste adressen bezoek.'

Daan (1989) kijkt terug:

Als ik kinderfoto's van andere mensen bekijk, ziet iedereen er eigenlijk even knullig uit, ik zou geen idee hebben wie veel geld aan de kleding heeft besteed. Ik heb er eigenlijk nooit bij stilgestaan.

Zusjeskringloop

Erik Harbers (30 jaar), Belle Setton (31 jaar, zwanger van een vijfde dochter) en dochters Holly (10), Lotus (8), Juniper (4) en Hazel (2).

Belle Setton: 'In een huis met vier modebewuste dochters is er veel kleding. Om het leuk en betaalbaar te houden, kopen we veel op Marktplaats en in tweedehandswinkels. De ene dochter geeft alles door aan de volgende. Twee keer per jaar gaan we door de kasten en kijken wat nog past en wat te klein is. Dat wordt dan doorgeschoven. Als een kledingstuk helemaal uit de gratie is, gaat het weer Marktplaats op en zo is de cirkel weer rond. Hazel draagt op de foto een roze petticoat die haar drie oudere zussen ook al hebben gedragen. Het is haar favoriete kledingstuk, het liefst draagt ze hem elke dag. Als hij haar straks te klein is, gaat hij naar haar babyzus. Als Hazel hem ooit wil afstaan, tenminste!'

Merkkleding

Kleding moet oorspronkelijk bedoeld zijn om mensen te beschermen: tegen de kou, regen en tegen verwondingen bij valpartijen. Voor de oermens was een dierenhuid genoeg. Er zal in de oertijd wel niet veel zijn rondgekeken wie wat voor soort velletje omhad. De tegenwoordige kleding is nog steeds om ons te beschermen, maar dient ook om onze identiteit te onderstrepen. Met kleding laten we zien wat voor soort mensen we zijn. Of eigenlijk: willen zijn. Bij merkkleding gaat het nog een stapje verder. Daarbij gaat het bijna niet meer om de kleding zelf, die mag best onopvallend of simpel zijn. Als het merk maar aangeeft dat we veel betaald hebben en dat we bij een bepaalde groep horen.

Als jonge kinderen al merkkleding dragen kan het – denk ik – niet anders, of dit is een keus van de ouders. Of de kinderen hebben het van de ouders afgekeken. Het lastige is, dat als je jonge kinderen in zulke dure kleding steekt, je bijna voorbij gaat aan de beschermende taak van kleding. De kleding beschermt het kind niet, maar het wordt omgekeerd. Het kind moet voortdurend letten op de kleding en deze heel en netjes houden. Regelmatig hoorde ik op het schoolplein van de basisschool moeders paniekerig gillen: 'pas op je broek!' (of je jurk). Ik vind dat jonge kinderen die zorg niet hoeven te hebben. Dat ze onbekommerd moeten kunnen spelen. Als ze vallen en zich pijn doen is dat vervelend genoeg. Als ze ook nog in de rats moeten zitten om een vlek of een scheur is de verantwoordelijkheid voor de kleding wel erg groot geworden. Hoewel wij drie jongens hebben, konden de broeken zelden van de oudste naar de volgende doorschuiven, omdat de broeken bij het te klein worden ook al zo uitgewoond waren, dat ze hooguit nog als 'speelbroeken' bruikbaar waren. Wanneer je in de wilde speeljaren van je kinderen voordelige leuke kleding bij elkaar zoekt, hoef je niet te gaan jammeren als er weer eens een broek op de knie gescheurd is. Je kunt een boel uitsparen voor de latere tienerjaren, waarin de kleding-kwestie vaak anders komt te liggen.

Kleren die vies mogen worden

Dan blijkt dat merkkleding niet alleen dure aanstellerij is. Het is een steuntje in de rug van de wankele puber. Dat is niet iets van de laatste tien jaar. In mijn eigen middelbare schooltijd profileerde je je door op z'n minst een soul-kikker of een blues-type te zijn. De soulkikkers hadden (meestal zwarte) broeken, met pijpen die van boven af al begonnen wijd uit te lopen. De jongens-soulkikker reed op een Tomos brommer. De blues-types droegen een spijkerbroek, die van boven zo strak mogelijk zat (plat op je rug liggen, adem diep in en dan de rits dicht wrikken), en waarvan de pijpen vanaf de knie wijd werden. De blues-jongen reed op een Puch. Een rechte broek was ook goed, maar dan hoorde zo'n broek bij een corduroy pak, van het merk Lee of Levi's, liever niet van Wrangler en zeer alsjeblieft niet voorzien van een merkloze knoop met zo'n cirkel van sterretjes erop. Onder die broek droegen wij bordeelsluipers, later 'Donald Duck schoenen', en daarna Adidas tennisschoenen: de voorloper van de Nike-mode.

Ik weet nog als de dag van gisteren dat ik arriveerde in de brugklas van mijn Lyceum, met kort haar (wat toen beslist geen mode was maar het gevolg van een communicatiestoornis met een Zwitserse kapper), een spichtig gezichtje, nog geen spoor van vrouwelijke vormen maaaaar....met een Lee-pak! Dat pak, dat hield mij overeind. Zonder dat pak had ik waarschijnlijk de moed niet opgebracht naar school te gaan, het was mijn bescherming, mijn harnas, mijn alles. Deze zwakte duurde ongeveer drie jaar. Daarna maakte ik duidelijk waar ik stond met behulp van een ziekenfondsbrilletje met groene glazen, overdreven lang sloom haar, een merkloos spijkerjasje, eigenhandig en weelderig geborduurd met violen (ik heb het nog), een ban-de-bom-button, en mijn schrijfwerk in de schoolkrant.

Vooral door deze ervaring ben ik merkkleding gaan zien als een medicijn tegen angst en onzekerheid. Fijn dat mij gegund werd in die paar jaren dat ik dat steuntje nodig had. Het heeft mij ook de overtuiging meegegeven dat iedereen die behoefte heeft aan dit opkikkertje het moet krijgen. Met mijn medische achtergrond plaats ik wel (zoals bij ieder medicijngebruik) vraagtekens bij de dosering. Hoeveel merkkleding is nodig? Knapt het kind al op van een enkel petje of moet het helemaal omhangen worden met merken? Ook vraag ik mij af hoe lang het nodig is. Is het niet verslavend? Is er niet steeds meer nodig? Of is het mogelijk de dosis langzaam af te bouwen? Ook goed opletten in welke vorm het medicijn wordt toegepast. Een absoluut goede merkjas heeft een hoger rendement dan een verschrikkelijk duur merk T-shirt of onderbroek. De jas heb je een seizoen lang aan, óver de desnoods half foute kleding. Als de jas iets ruim gekocht is en hij is zeer naar de zin van het kind, dan kan hij misschien zelfs twee seizoenen mee.

Onze eigen kinderen hebben merkkleding niet echt nodig gehad. Soms vroeg deze of gene om een bepaald soort broek, een bepaald model, met zakken op de pijpen, in plaats van de klassieke smalle broek. Met dit soort wensen heb ik altijd terstond rekening gehouden. Ik wil graag dat ze het gevoel hebben er goed uit te zien. Van lezers met om merkkleding vragende kinderen kreeg ik verschillende tips.

Een moeder mailde dat ze de merkkleding in Amsterdam op Koningsdag opspoort, vooral in de betere buurten. De mode is misschien een streepje versprongen, maar soit. Ook schoenen (Nike e.d.) blijken daar makkelijk op te sporen in pubermaten (38-44), omdat tussen hun twaalfde en veertiende jaar die voeten zo absurd snel groeien dat ze hun schoenen soms maar een paar maanden passen. Zodat er veel ligt dat 'zo goed is als nieuw'.

In de tweedehands kledingwinkel en op de kinderkledingbeurs hangen de merkbroeken broederlijk naast de neppers, ze verschillen vaak niet eens in prijs. Kinderen die enkele jaren om bepaalde merken vragen kunnen deze dus best betaalbaar krijgen. Als de wensen steeds specifiekere vormen aannemen kan de tip van een andere lezer worden gevolgd. Haar dochter wilde een bepaalde broek van ongeveer € 125,-. De moeder stelde het geld beschikbaar. Vertelde erbij: je mag van mij ook een andere, voordelige broek zoeken, en de rest van het geld houden. Dat meisje is flink gaan zoeken en vond inderdaad een andere broek naar haar zin en kon een groot deel van het geld in haar spaarpot stoppen. Dus flink wat geld en een lesje rijker.

Een andere mogelijkheid is eens ernstig met kinderen te spreken over de merkenrage, de globalisering en de productiemethode van die luxe sportschoenen via slavenarbeid, vaak door kinderen in lage-lonen-landen. Over dat je toch jezelf moet zijn en dat, als ze jou niet zien zitten omdat je foute schoenen draagt, je je kunt afvragen wat die 'vrienden' waard zijn. Persoonlijk ben ik geen voorstander van dit gepreek. Ik denk terug aan mijn eigen bange hart, mijn Lee-pak, en hoe het toch allemaal best is goed gekomen. Ik ben niet bang voor een meningsverschil met die grote lummels, dat is het niet. Als we ruzie maken, dan liever over de wezenlijke zaken: de afspraken die we maken, het samen leven in huis, de omgangsvormen. Het komt erop neer dat ik ze, waar mogelijk, tegemoet wilde komen.

De kapper

De kapper is zo'n hinderlijke, steeds terugkerende post op de begroting, iets wat je nog niet beseft als je juist vader of moeder bent geworden. Die vlasdunne piekjes van de half jaar oude baby knip je zelf nog wel af. Zo begon het tenminste bij mij. Ik ging door met gewoon goedbedoeld afknippen tot de oudste naar school ging. Toen ik hem weer eens onder handen had genomen en na schooltijd aan hem vroeg: 'En? Vroegen ze nog of je naar de kapper was geweest?', was het nuchtere antwoord: 'Nee, ze vroegen of mijn moeder me geknipt had.' Oei. Gelukkig was de schat zich nog niet bewust van het kaliber van deze boodschap en had ik tijd om over alternatieven te piekeren.

De thuiskapper

Ik ontdekte een cursus haarknippen bij de Volksuniversiteit. Wat een uitkomst! Twee avonden theorie waarbij de docent al pratend het haar van alle cursisten in het gewenste model knipte. Daarna mochten wij zelf modellen meenemen en de pas geleerde vaardigheden onder toezicht gaan toepassen. Alle kinderen en later buurkinderen en vriendjes heb ik meegesleept en, zonder uitzondering, gekortwiekt in het model kapsel waarop ik me had toegelegd.

De jongens knipte ik jarenlang. Als je uitgaat van € 15,- per knipbeurt (de prijs toen) bespaarde ik hiermee voor drie kinderen € 270,- per jaar, dus in tien jaar € 2.700,-. Tegenwoordig zijn de prijzen hoger en kan de besparing dus groter zijn. Lang haar, zowel voor meisjes als jongens, is ook een leuke besparing op de kapperskosten.

Speelgoed

Toen ons eerste kind pas geboren was, werd hij op de gebruikelijke wijze bedolven onder knuffels. Goedkope paars oranje gestreepte geinige konijntjes maar ook serieuze, heel dure Steiff-beren en artistieke romantische kwaliteitsknuffels van de Bijenkorf. De baby verkoos met gevoel voor sfeer 'Wouterkabouter', een door oma omgebouwde washand, tot lievelingsknuffel. Wouter kreeg al vele malen een nieuw (washand) lijf, maar diep binnenin zit de oer-Wout, dat weet iedereen. De rest van de knuffels kon bij de komst van het volgende kind verhuizen naar de babykamer. Toch kwam er ook toen weer een vrachtwagenlading aan nieuwe geschenken bij, en bij het derde kind idem dito. Zodra we de zwangerschapstest aflezen is dit zeker: over knuffels hoeven we ons nooit meer zorgen te maken.

In de plaats waar de oudste is geboren was een Speel-o-theek. Het lidmaatschap kostte toen maar € 5,- per jaar; ik wist niet wat ik hoorde. Wel was er een wachtlijst, waar wij ongeveer een half jaar op stonden. Toen we van start konden, ging ik elke twee weken met de peuter naar het zaaltje waar hij verheerlijkt ronddribbelde. Datgene waar hij aan trok of het meest naar keek beschouwde ik als door hem uitgekozen. Met hele glijbanen op de schouders wandelde ik de deur uit. Wat een uitkomst. Ik merkte dat er veel speelgoed was dat op het eerste gezicht aantrekkelijk is, maar na twee weken heerlijk spelen steeds minder boeit.

Ook was er speelgoed waarvan ik merkte dat hij het wilde houden, of het steeds opnieuw wilde lenen. Bijvoorbeeld Duplo. Aan de familie die absoluut iets duurs cadeau wilde doen, vroeg ik dus Duplo. Er is onophoudelijk gespeeld met de prachtige voorraad die in de loop der jaren ontstond. Daarna kwam Lego, waarvoor hetzelfde geldt. Zelfs het kleinste pakje is altijd welkom op verjaardagen. Onze jongste kon op snipperdagen ochtenden lang zwijgend of in zichzelf babbelend met de Lego spelen. Vooral bij duur materiaal kan het de moeite lonen in het tweedehands circuit rond te kijken.

Nog een paar aandachtspunten bij het kiezen van speelgoed. Ten eerste is het nooit te garanderen dat een bepaalde aankoop een succes zal worden. Misschien heb je iets gekocht wat je zelf als kind zo leuk zou hebben gevonden, maar het kan ook toeval zijn. Het belangrijkste criterium waarvan ik vind dat speelgoed er aan moet voldoen is….dat je ermee kunt spelen. Dit is geen grapje: er is voldoende foeilelijk hard plastic spul op de markt waar je eigenlijk niets mee kunt. Een robot met knotsen van batterijen die houterig rondwandelt, met knipperende verlichte ogen en veel lawaai maakt: daar kun je eigenlijk alleen naar kijken. Met zo'n (liefst neppe) Actionman kun je nog wel iets, al zijn de meeste kinderen daar ook snel op uitgekeken. Onze kinderen hebben het fijnst buiten gespeeld. Eerst in de zandbak, later in, bij of op hun eerste speelhuis: een hutje getimmerd van afvalhout. Daarna in de boomhut en met de touwbrug die van de boomhut naar het vergrote tweede speelhuis was gespannen. Met water spelen, in een teiltje of met de tuinsproeier deed het ook altijd goed. Binnen werd er vooral met Lego en autootjes gespeeld.

Schaatsen en skates

Om goed te leren schaatsen hebben kinderen goede schaatsen nodig. Maar is dat niet verschrikkelijk duur? Voor ons niet. 's Winters luisteren we met extra aandacht naar de weerberichten. Gaat het vriezen? Het gezin is er namelijk klaar voor. Als kind was ik al dol op schaatsen. De sport trok me aan, maar ook de stemming. Vooral 's avonds, in het donker, is het fijn met de lichtjes van de ijsbaan, de muziek uit de speakers en de flirterige sfeer. Helaas heeft de hobby nooit mogen uitgroeien tot een echte sportieve vaardigheid. Pas na mijn dertigste kwam ik er achter dat ik lage noren had moeten hebben. Had ik dat maar eerder geweten.

Voor mij is het te laat, maar niet voor de zonen. Ik streefde ernaar dat onze jongens goed zouden leren schaatsen, rustig voorbij zoeven met een zekere slag. Beentje over. Tochten schaatsen, op plaatsen waar 's zomers geen sterveling komt. Ik zorgde er in elk geval voor dat ze vanaf hun kleutertijd bij elk dagje vorst met goede schaatsen op het ijs hebben gestaan. Je zou denken: dat is onbetaalbaar. Nieuwe noren zijn duur en tweedehands zijn ze schaars. Dat is ook zo, maar de crux zit 'm in de timing. Als de vorst invalt, zijn de beste koopjes allang

Schaatsen leren

voor je neus weggekaapt. Als je er in de herfst één dag aan besteedt, en er het geld voor uittrekt dat normaal één zo'n stel nieuwe kost, dan zit je voor drie kinderen voor zes jaar goed.

Eerste stap: struin je huis, je zolder en eventueel je ouders en buren af op zoek naar alle miskopen van schaatsen. Te klein, te groot, te hoog, nieuw maar nooit mee uit de voeten gekund. Spoor een tweedehands schaatsenzaak op, die gaan meestal eind oktober open. De dichtstbijzijnde kunstijsbaan weet wel zo'n winkel of beurs. In die zaak kun je je schaatsen aanbieden; je zult er nog aardig wat voor krijgen. Je weet de schoenmaat van je kinderen. Koop voor al je kinderen een paar noren, die kosten daar ongeveer € 15,-. Heeft je oudste kind maat 34, koop dan als je nog geld hebt ook nog noren maat 36 en 38. Je kunt nu jaren vooruit. Als je oudste over enkele jaren weer grotere nodig heeft, kun je terug naar dat winkeltje met een paar schaatsen die voor je jongste inmiddels te klein zijn. Je krijgt waarschijnlijk bijna net zoveel terug als je betaald hebt.

Ik heb voor lage noren gekozen omdat kinderen daar goed mee leren schaatsen. Als je het op noren kunt, kun je op andere schaatsen ook uit de voeten. Omgekeerd is dat niet zo.

Schaatsen met kinderen vraagt wel enig doorzettingsvermogen van ouders. De schaatsen moeten gepakt, de kinderen en buurkinderen verzameld, de dassen om en als alle schaatsen zijn vastgeprutst wil de eerste al weer van het ijs af en is de tweede gevallen, terwijl je zelf nog geen slag hebt kunnen schaatsen. Maar in die zalige winter van '96 op '97, toen we tot verzadiging aan toe hebben kunnen schaatsen, begonnen mijn investeringen eindelijk rendement op te leveren. Met mijn oudste zoon schaatste ik voor het eerst van m'n leven een tocht voor een medaille. De Jeugd Elfstedentocht, tien kilometer, met een echte deelnemerskaart. Ineens reed hij voorop, ver voor mij uit over het wijde witte ijs. Draaide zich om en vroeg: 'Gaat het mam?'

Skates voor een prikkie

Toen onze oudste zoon skates wilde, kreeg hij eerst een probeersetje van (toen nog) Koninginnedag, van (destijds) een riks of zo. Hij reed er kletterend mee over straat met meer dan gemiddelde vaardigheid. Vooral zijn vader vond na enige tijd dat zoon 'nu maar eens iets goeds moest hebben'. Eerst aan zoon gevraagd wat hij precies wenste: merk, type, kleur, maat, etc. Na zijn incubatietijd op nep-skates was hij inmiddels uitstekend in staat de voor- en nadelen van de diverse merken uit te leggen. Ik vond ze op Marktplaats en we besloten eerst bij de voordeligste te gaan kijken. Zoon zou daarbij als deskundige optreden, de wieltjes in een lijn voor zijn oog laten draaien en mompelen dat je wel kon zien dat ze gebruikt waren. Eenmaal ter plaatse kon hij die volzin niet uit zijn mond krijgen, want je kón niet zien dat ze gebruikt waren. Topkwaliteit was het, en inclusief alle soorten bescherming. De skates waren gekocht voor een meisje dat er éénmaal op gereden had en het toch niet zo leuk vond. Wij vonden dat weer wel leuk. Want wij maken tenslotte ook onze blunders (wil er overigens nog iemand een leistenen biljart kopen?).

Joep ('86) kijkt terug

'Zodra duidelijk werd dat skaten mijn favoriete sport was, kreeg ik goeie skates. Dat moet een dure tijd geweest zijn want m'n voeten groeiden zo hard dat ik telkens nieuwe skates nodig had vóór de wieltjes vervangen moesten. Met een podiumplaats op het Nederlands kampioenschap en een finaleplaats op het Europees kampioenschap bleek dat niet voor niets. Ook nu skaten weer gewoon een hobby is, rijd ik nog steeds op goed materiaal, maar juist door die goeie kwaliteit gaan m'n huidige skates alweer 10 jaar mee!'

Zwemles

Een kind dat op het vierde jaar begint met zwemles doet er ongeveer tweeënhalf jaar over om het A- en B-diploma te behalen. Begint het op het vijfde jaar met zwemles dan duurt het circa anderhalf jaar. Vanaf begin zes jaar duurt het nog een jaar, en bij zes en een half jaar starten kan volstaan worden met een half jaar zwemles (onderzoek van de Universiteit van Badhoevedorp).

Toch doet iedereen, ikzelf incluis, de kinderen op hun vierde jaar op les. De zwembaden hebben zelfs hun didactische methoden moeten aanpassen aan de kleuters die nog niet veel kunnen en begrijpen, nog niet beschikken over de nodige spierkracht en talrijke angsten te overwinnen hebben. Zelf ben ik per kind een half jaar later met de zwemles begonnen, en dat heeft de lestijd al aanzienlijk bekort. De lesgelden hebben wij met de jaren omhoog zien springen. Bij ons in de buurt ligt het nu rond de € 4,- per les van een half uur, in een groep van zo'n vijftien kinderen. De prijs loopt op naar € 6,- per les als er maximaal 6 kinderen in het klasje zitten, tot bijna € 9,- voor een les in een groepje van vier. Bij de meeste zwembaden gaan de kinderen twee keer per week naar de les. Een jaar eerder klaar kan dus zo'n € 400,- (in een grote klas) tot ruim € 900,- in het kleinste klasje én heel veel tijd en irritatie besparen.

Eerste zwemdiploma

Onze oudste zoon had zoveel plezier aan zijn eeuwig durende zwemlessen, dat ik me daar maar aan vastklampte: hij leerde dan wel niets, maar had een fantastische tijd. De tweede zoon stond echter doodsangsten uit en besteedde zijn lestijd aan het zo zorgvuldig mogelijk buiten beeld van de zwemjuf blijven, hierbij veinzend het hele programma serieus te volgen. Hij slaagde daar zo goed in, dat ik gedurende tien lessen geen juf of meester een woord tot hem zag richten. En ik voelde zijn angst zo goed, dat ik bijna met hem mee hoopte dat hij onopgemerkt zou blijven en dus geen enge kunstjes hoefde voor te doen. Deze situatie vroeg om een beslissing: of stoppen met deze zinloze lessen (en later weer oppikken) of de aandacht van de juf vestigen op ons onzichtbare kind.

Maar er was nog een optie. In het gastenzwembad van een nabijgelegen luxe hotel werd privé zwemles gegeven, in groepjes van twee, maximaal drie kinderen. Het hele badje is diep, dus de kinderen kunnen niet staan en moeten er met 'vleugeltjes' in. Niet staan, dus ook niet spelen, spijbelen of wegdromen: ze moeten echt zwemmen. Het werkte geweldig. Na een eerste les vol angstige momenten, waarbij hij tot zijn ontzetting achteruit zwom als hij naar voren wilde, viel het kwartje en zwom hij. Zoals dat gaat, vond hij de lessen ineens enorm leuk: iets wat lukt of waar je goed in bent, is ook leuk. In recordtijd mocht hij door naar de gewone zwemles en haalde hij de felbegeerde diploma's. Hoewel de privé-lessen per stuk ongeveer het dubbele kostten, kreeg het kind 500% meer aandacht, wat, gezien de veel kortere totale lestijd, bij elkaar toch in een forse besparing resulteerde. Met het derde kind hebben we met succes dezelfde weg bewandeld.

Clubjes en sport

Pas als mijn kinderen het A- en B-zwemdiploma hadden behaald, wilde ik piekeren over een volgend clubje, dit om te voorkomen dat de vijf- of zesjarige een agenda moet trekken om een speelafspraak te maken. Met twee keer per week zwemmen, eenmaal in de week naar de bibliotheek en nog een keer of wat ergens spelen is de prikkelgrens voor die leeftijd wat mij betreft bereikt. Dat naar de bibliotheek gaan heb ik altijd beschouwd als een soort oefenclubje. Bij ons in het dorp werd daar wekelijks op woensdagmiddag voorgelezen en aansluitend geknutseld. Rustig, goed voor de kennismaking met lezen en boeken en... gratis. Bij mijn weten doen ze dit in andere bibliotheken ook. Wat hebben we onbetaalbaar veel plezier gehad van deze service. Het is een echt programmapunt in de week, het is geen school (maar toch nuttig en leerzaam) en geen thuis (maar toch vertrouwd en gezellig). De kinderen lenen aansluitend een stapel boeken, vergeten nooit ze op tijd terug te brengen en worden door de diverse medewerkers met naam en toenaam gegroet. Uit deze wekelijkse uitstapjes is een niet meer te bederven liefde voor lezen voortgekomen (natuurlijk ook gevoed door het dagelijkse voorlezen voor het slapen gaan), die bij geen van de kinderen is verdwenen.

Wat is het doel van clubjes? Ten eerste ontspanning, lijkt me, en ten tweede dat kinderen iets leren wat op school niet (genoeg) aan de orde komt. Als ze lid worden van teveel clubjes is het resultaat eerder een serie niet te overziene verplichtingen voor zowel ouder als kind. Sommige clubjes verlangen behalve een financiële bijdrage ook de fysieke inzet en aanwezigheid van de ouders. Hulp bij organisatie, halen, brengen, bardiensten, kostuumpjes naaien. Naast de wervelende werkkring kan de argeloze moeder of vader hier zich genadeloos aan vertillen, vooral als er meer kinderen zijn. De ontspanning waarnaar we voor het kind op zoek waren, slaat dan om in een potentiële overbelasting en overspannenheid van de hele familie. Je vooraf goed op hoogte stellen van de verwachtingen en een beperkt aantal clubjes is de oplossing.

Zijn de zwemdiploma's behaald, dan hielden wij het op twee clubjes per kind (afgezien van de bibliotheek). Bovendien streef ik naar een zekere standvastigheid: liever niet een jaartje tennis, een jaartje schermen en dan toch maar paardrijden. Het leren van belangrijke dingen buiten school kan naar mijn mening alleen als het kind langer dan een seizoen op de club zit. Het aanleren van fysieke vaardigheden (ballet, atletiek, judo), het omgaan met winnen en verliezen, met lukken en mislukken (aan de orde in elke wedstrijdsport), het samenwerken met mensen die minder handig zijn dan jij of juist handiger, dat heeft het meeste effect als het bij elkaar opgeteld kan worden. Stap je over op weer een andere club, dan begin je in een aantal opzichten van voren af aan.

In de kranten lees je dat kinderen tegenwoordig aan zo ontzettend veel eisen moeten voldoen. Dat is iets waar ook ik me zorgen over maak. Vroeger was je best doen op school al een heel ding; dan nog een beetje gehoorzaam zijn en aardig, en klaar was je. Kinderen moeten nu op school behoorlijk presteren, hun sociaal functioneren wordt in de gaten gehouden en in de rapporten uitgebreid beoordeeld, ze moeten handig zijn in sport en van lezen houden, èn een of ander instrument liefst virtuoos bespelen. Mijn antwoord daarop is: probeer goed te worden in één ding. Iets wat je ligt, wat je leuk vindt en waar je met doorzetten wat mee kan bereiken. Een voorbeeld is muziek. Wil het wat worden dan moet je redelijk vroeg met een instrument beginnen, en volhouden. In overleg oefentijden afspreken. Alles wat je ooit koos en lang gaat volhouden, levert perioden op dat het minder goed gaat, dat je geen zin meer hebt, en het liefst zou stoppen. Mijn uitdaging is het om kinderen door zo'n dalletje te kletsen.

Judokampioenen

Het resultaat is dat kinderen leren dat je de grootste kans hebt op succes als je dóórgaat. Wanneer je na het behalen van de zwemdiploma's begint met judo en je doet dat een beetje serieus, je neemt deel aan wedstrijden, dan is het resultaat, afgezien van het aanleren van een aantal uiterst nuttige vaardigheden, ook dat je rond de brugklasleeftijd de groene of zelfs blauwe band mag dragen. Ik heb het idee dat dat meer zelfvertrouwen geeft dan een curriculum met vijfendertig clubjes. Als een van m'n kinderen in zo'n dalperiode zat, overwoog ik eerder om bij hetzelfde instrument of dezelfde sport een andere club of leraar te zoeken, dan alle opgebouwde ervaring weer in een klap weg te gooien. En dan heb ik het nog niet eens over de kapitaalvernietiging van alle nieuw aangeschafte sportuitrustingen, scheenbeschermers, judopakken, gitaren, paardrijbroeken of hockeysticks.

Gewenste huisdieren

In Nederland lopen 1,3 miljoen honden en 2,1 miljoen katten rond. In totaal houden we 17 miljoen huisdieren, inclusief vogels en vissen. Aan die goed gevulde ark besteden we per jaar bijna 700 miljoen euro. De gemiddelde hond in het rijke Westen heeft meer koopkracht dan een gemiddeld mens in de Derde Wereld. Het houden van een grote hond kost zo'n € 60,- per maand, een kleine tot middelgrote of een kat zo'n € 35.- en een knaagdier € 12,- per maand. Het besluit om geen huisdieren in het gezin op te nemen kan dus tot enorme besparingen leiden.

Voor mij is zo'n besluit echter geen optie. Vanaf de dag dat ik als kleuter alleen naar buiten mocht, begon ik met het naar huis brengen van zielige en gewonde dieren, in een bijna eindeloze reeks. Tot op de huidige dag zijn er dieren rond mijn voeten. Dat zal ook zo blijven, al moet het leiden tot mijn faillissement. Het hebben van een eigen dier, het dragen van de verantwoordelijkheid voor voeren, verschonen, en geven van aandacht is een deel van het opgroeien van kinderen dat, naar mijn idee, niet mag ontbreken. Als we naast deze beginselvastheid de kosten in de gaten houden, komen we bij de kleuter uit op een knaagdier. Hamster en muis zijn klein, eten bijna niets, maar zijn wel erg kwetsbaar in onhandige kleuterhandjes. Cavia en dwergkonijn kunnen wat meer hebben en worden ook wat ouder.

De kosten van knaagdieren kunnen beperkt blijven door ze restjes groente- en fruitafval uit de keuken te geven, er paardenbloemblaadjes voor te plukken, en bij het stofferen van de kooi (bijvoorbeeld bij muizen en hamsters) gebruik te maken van waardeloos materiaal zoals papier uit de versnipperaar.

Oudste zoon had verschillende cavia's waar hij goed voor zorgde, en leuk mee speelde. Hij bouwde bijvoorbeeld regelmatig een doolhof in de tuin, in de hoop de cavia de juiste route te leren.

Maatje

Bij onze tweede zoon kozen we voor het in huis halen van een jong, echt voor hemzelf bedoeld poesje. Het kind kon moeilijk in slaap komen en kwam regelmatig met trage tred de trap af om met tegenzin te melden 'dat hij zich zo raar voelde', en 'aan nare dingen moest denken.' We haalden niet de GGZ erbij, maar namen een poes, speciaal voor hem. Een poes, die hem, met de pootjes om de hals geslagen, drie jaar lang elke nacht in slaap spon. De band werd ontroerend sterk en leek wederzijds: de poes mekte een vrolijk kreetje als de jongen uit school kwam, rende om half acht mee naar boven als hij naar bed ging en beende miauwend door het huis als het kind eens ging logeren. Dit enorme succes sloeg om in een ramp toen het poesje op driejarige leeftijd onder een auto kwam. Het hele gezin werd in rouw gedompeld en wij durfden ternauwernood over een nieuw poesje te beginnen. Zeker niet nadat het lieve kind na de zoveelste huilbui vroeg of het klopt dat je eerste poes altijd je liefste is.

Maar een klein hondje slaagde er in het hart van de hele familie te winnen. Met wel heel veel succes. Ook dit beest krijgt voer dat gegarandeerd minder dan € 25,- per maand kost. Zo wordt het blikvoer gemengd met restjes brood en groente. Er is nu alweer blikvoer in de handel mét groente. Ja, dat doen wij dus al jaren zelf. Dierenarts Ernst Eicher meldt in de Pluskrant dat 'de kleine tot middelgrote hond best met de pot mee kan eten.' Alleen honden van grote rassen zijn volgens hem gevoeliger.

Het belang van een hond

Het is leerzaam voor kinderen te moeten zorgen voor een dier. Het is mijn ervaring dat een hond(je) vooral van belang is bij pubers. Geen dier ter wereld geeft meer liefde en gezelligheid dan een hond. Het leukste is het als alle kinderen zich garant stellen een taakje (bijvoorbeeld één keer uitlaten per dag) op zich te nemen. Je hebt opeens een geheel nieuw gemeenschappelijk belang. En weer precies diezelfde lol die je vroeger samen had over de baby. Je kunt een verschoppeling uit het asiel halen. Kies dan wel een dier dat goed tegen de herrie en drukte van een gezin kan. Of een jong hondje, zo'n dommertje dat met geduld geholpen moet om zindelijk te worden. Dat blaft tegen zijn eigen spiegelbeeld in het raam. Dat iedereen na een halve schooldag verwelkomt alsof ze terugkomen van een wereldreis. Waarbij hij springt tot de deurknop en blijft juichen: 'Yes! Yes! Ze zijn er weer!'. Voor hem zijn we allemaal helden. Zo'n hondje dat struikelend over zijn pootjes een speelgoedje gaat halen en dat gaat aanbieden aan de thuiskomer. Maar het speeltje na twee minuten een beetje zenuwachtig toch weer terugpakt en in zijn mand legt. Zo'n hondje dat schrikt van ruzie, denkt dat hij de oorzaak is en met de staart tussen zijn benen in zijn mand gaat. Waardoor er dus een argument bij komt om problemen rustig op te lossen. Zo'n hondje dat als enige in huis weet wat hij moet doen als een van de grote jongens na zinloos geweld met een hersenschudding en een gebroken neus op de bank ligt: handen en gezicht likken natuurlijk. Zo'n hondje dat alles goed wil doen en hartstochtelijk bij ons wil horen.

Marieke kijkt terug

Ja, hondje Bobby kwam in het jaar 2000 in ons gezin, toen de jongste zoon nog op de basisschool zat, op diens uitdrukkelijke verzoek, en na jaren onderhandelen. Hij heeft inderdaad nauwelijks geld gekost aan eten, bleef fit en gezond tot de dag van vandaag. Hij is en blijft een bindmiddel en gespreksonderwerp. Als de oudste zoon na een lange reis thuiskomt en een grote knuffel krijgt, wringt Bobby zich er opdringerig tussen: 'ehm..ik ben toch ook leuk?' Hij eist ook aandacht van journalisten die mij kwamen interviewen. Als ik op de foto moet wringt hij zich als wethouder Hekking in het beeld. Zo heeft hij in tal van kranten en tijdschriften gestaan. Hij blijft zijn rol als trooster en wandelcoach vervullen. Hij wordt een beetje doof en kippig, maar blijft enthousiast en vrolijk, en onbetaalbaar.

Bobby en Gijs

Ongewenste huisdieren

Toen je een flink aantal jaren geleden voor het eerst je kind in armen kreeg en tranen van ontroering stortte, had je waarschijnlijk nooit gedacht dat er binnen een jaartje of vijf sprake zou kunnen zijn van heel andere tranen: van frustratie, schaamte, zenuwen en jeuk: het kind heeft luizen. Wat zeg ik? We hebben allemaal luizen. Join the club! Zelf heb ik alle stadia doorlopen: van ongeloof, ontzetting, schaamte en professioneel aanpakken tot bijna volmaakte onverschilligheid. Ja ja, we hebben luizen, so what? Alleen vader bleef gespaard, waarschijnlijk omdat hij niet zo sappig is, zeiden we dan vals. Wel moest hij meedoen met de grote luizen-verdelgcampagne, en zijn aandeel leveren in het gedurig kammen.

De eerste impuls was die kinderhoofdjes maar eens flink in een pot met gif te duwen. Dat kun je doen, maar achteraf zal blijken dat dit niet meer dan de eerste stap in een lang proces is. De luizen raken opgeschrikt, ze begrijpen dat ze ontdekt zijn en de strijd gaat beginnen, maar sterven doen ze van die eerste optater niet. En zeker de neten niet. Wat de gebruiksaanwijzingen op de neutrale flesjes ook beweren: je bent er voorlopig nog niet van af. Toch zullen de luizen met enige inzet zeker overwonnen worden. Stap één: ga naar de (voordeel) drogist en koop een moderne shampoo tegen luizen. Als je je heel erg schaamt, kun je deze wens op een briefje schrijven. Ook kun je vragen of de dosering niet te sterk is voor kinderen. Je maakt dan in één klap duidelijk dat het middel niet voor jou bedoeld is, en dat je je kinderen niet wilt schaden met een overdosis. En dat je dus nog wel degelijk van ze houdt, ook al zitten ze onder die vreselijke beesten.

Kam alle gezinsleden met een stofkam (er zijn middeltjes waarbij de stofkam wordt meegeleverd), ontsmet de kam tussen elke beurt en behandel iedereen die ook maar één luisje op bezoek heeft volgens voorschrift van het gekochte product. Er zijn nieuwe richtlijnen van het RIVM die zeggen dat het extra verschonen van bedden en wasen op hoge temperaturen geen zin heeft. Ook knuffels in een plastic zak in de diepvries zou niet meer nodig zijn, want zinloos. Ga toch niet voldaan achterover zitten. De shampoo doodt – als ze al iets doodt – de luizen, niet de neten, ook de duurste shampoo niet. Je kunt proberen de neten, de eitjes die aan de haren kleven, weg te halen met je nagels. Volgens mijn moeder in de oorlog een veel voorkomend gezellig werkje. Kind met het hoofd op een kussen op je schoot voor de tv? Ook kun je het haar kort knippen. Let op: wel bij de kapper vertellen wat er aan de hand is.

Het belangrijkste van de campagne is: (dat zegt ook de nieuwste RIVM richtlijn): het tweemaal daags kammen. Wij maakten hiertoe een schema met de namen van alle kinderen. Op het schema werd genoteerd hoeveel luizen waren gevonden. In het begin soms drie, twee, later steeds nul maar dan na dagen toch weer één. Was er bij het kammen ook maar één luis gevonden dan moest het kussensloop verschoond. Door ervaring wijs geworden stopten wij pas met het kamschema als er twee weken lang dag na dag niets gevonden was bij een kind. Was er wel wat gevonden dan gingen er nieuwe weken in. Door te blijven kammen kun je de aanschaf van een groot aantal dure producten uitsparen.

Een vriendin die dankzij haar kleuterdochters ook pas was toegetreden tot de luizenclub had de grootste moeite ze uit haar eigen haardos weg te krijgen. Het kammen van haar stevige bos krullen was een verschrikking. Ze vertelde opgewonden dat ze de oplossing bij toeval ontdekte. Ze had een kleurshampoo gebruikt, geen spoeling voor een paar weken, maar echt verf, om haar fletse haarkleur een beetje op te krikken. De luizen waren zonder uitzondering, geverfd en wel, gestorven. Het was Poly-Color, kastanjebruin.

Goedkoper kammen

Nog een tip: een plastic stofkam, die ze soms met de speciale shampoo duur meeverkopen ligt ook in de dierenwinkel. Daar heet het een 'vlooienkam', en kost hij maar één euro.

Kind en mobiel

Er zijn mensen die felle kritiek hebben op jonge mensen 'die altijd op hun mobiel lopen te kijken', maar ik hoor daar niet bij. De relatie tussen ouders en kinderen staat of valt met de communicatie. Alles wat meehelpt in die communicatie juich ik toe. Toen onze jongens de basisschool bezochten was de leeftijd om met een mobiel te beginnen ongeveer 12 jaar. De eerste mobiel krijgen, viel vaak samen met de overstap naar de middelbare school. Dat was voor mij ook een uitstekend moment. Ze moesten ver fietsen, drie kwartier enkele reis, en zouden bij tegenslag (pech, pesterijen of iets dergelijks) kunnen bellen. Dat stelde niet alleen hen gerust, mijzelf ook. Idem bij andere activiteiten die kinderen van die leeftijd in toenemende mate ontwikkelen: de stad in, alleen naar de bioscoop, een skatetocht rijden in de avond: allemaal makkelijker toe te juichen als de wereldveroveraar contact kan leggen met het basiskamp.

Ik heb als consuminderaar nog wel geprobeerd invloed te hebben op de toestelkeuze. Zou zoon zich bijvoorbeeld, desnoods tijdelijk kunnen redden met het wat oudere gezinsreservetoestel, type koelkast? Nou nee, geen sprake van, hij wilde nog niet dood gevonden worden met zo'n onding. Wij betaalden de basisprijs voor het toestel, de rest spaarde hij zelf, om übercool voor de dag te komen. Ook betaalde hij de prepaid kaarten voor zijn telefoon zelf. Een paar interessante ontwikkelingen kwamen in die begintijd op gang. In de eerste plaats merkte ik dat ik het leuk vond door mijn zoon gebeld te worden. We konden overleg plegen op momenten dat hij vroeger maar een beslissing moest nemen zonder te weten wat de ander ervan vond. Het was niet zo dat we voor die tijd veel conflicten hadden, maar door het mobieltje werd de kans op verwijten nihil. Wilde hij ergens wat langer blijven? Wat later komen voor het eten? Door dit soort overleg voorkom je veel ergernis. Ander punt was dat zoon ineens goed op de gespreksduur ging letten. Als ik even wat bedenktijd nodig had, of nog wat gezellige dingen wilde vragen kreeg ik al snel de aanmaning: 'Mam, we bellen nu wel op mijn kosten!'

We werden dankzij de jongens in die oertijd ingewijd in de wereld van de mobiel, het trilalarm, de verwisselbare frontjes, de SMS. En gaandeweg in de wereld van de smartphone, het mobiel mailen, Facebooken en whatsappen. Net als bij het schaatsen halen ze je in, en zijn vertederd (en soms geërgerd) over jouw pogingen hen bij te houden.

Wie jonge kinderen heeft, heeft nog wel een duidelijke opvoed- en kostenbeheersende taak.

Tegenwoordig beginnen kinderen ongeveer op hun achtste aan een mobiel (bij de volgende druk van dit boek zal het wel drieenhalf zijn). Volgens de brochure van OudersOnline (gratis te downloaden via http://mijnkindonline.nl/publicaties/brochures/mijn-kind-mobiel-6-12-jaar) is het zaak eerst een betaalvorm en dan pas een toestel te kiezen, en je dus niet blind te staren op 'gratis' toestellen. Je kunt bij jonge kinderen het mobiel internet uitzetten, zodat ze alleen thuis met de gratis wifi op internet kunnen. In bovenstaande brochure veel informatie (ringtonen, geldverslindende sms-diensten, hoe die af te melden, waar klachten in te dienen) over financiële gevaren voor jonge kinderen met een mobiel. Voor tieners is er een aparte brochure.

Hoe blijven de kosten binnen de perken?

In 2014 deed de Stichting Weet Wat Je Besteedt (WWJB) samen met Vodafone onderzoek onder 1500 jongeren tussen 12 en 24 jaar. Het blijkt dat tweevijfde van de jongeren de maandelijkse bundel van zijn of haar mobieltje wel eens overschrijdt. Verder blijkt dat 49% van de risicogroep (jongeren die maandelijks of bijna maandelijks hun belbundel overschrijden) toch denkt best goed met zijn of haar telefoonkosten om te gaan. Ze lijken zich niet bewust van het probleem. Dat lijkt te komen door de ouders: als de telefoonkosten hoger uitvallen, springen ze bij. WWJB pleit ervoor dat jongeren de schade zelf betalen, zodat ze de kans hebben van hun fouten te leren. Daarnaast pleit de stichting ervoor dat de telecomoperators hulpmiddelen bieden om jongeren nog eenvoudiger inzicht in hun belgedrag en controle over hun kosten te bieden. Er zijn verschillende providers die op tijd waarschuwen (met een sms) dat je op de helft van de belbundel bent, of je MB's verbruikt zijn of dat de bundel geheel is opgemaakt. Bij andere providers kun je dit online controleren, of soms – nog handiger – met een app op je telefoon. Ook kun je bij enkele providers een belplafond instellen. Komt het kind boven het door jou vastgestelde bedrag, dan kan het niet meer bellen. Maximaal drie nummers (die je zelf kunt opgeven) blijven nog wel bereikbaar. Dit soort service kan misschien een rol spelen bij de keuze van een provider.

De jeugd van tegenwoordig

Onderzoeksbureau Motivaction deed onderzoek naar de mentaliteit van Nederlanders van verschillende leeftijden. Vooral de uitkomsten die gingen over de mentaliteit van de jeugd van tegenwoordig werden breed uitgemeten in de pers. Jongeren geboren na 1986 zijn bezig aan een 'onstuitbare opmars van de eigendunk'. Ze hechten belang aan status, uiterlijk, snelle kicks en geld. Ze zijn gemakzuchtig, verwaand, brutaal en onverantwoordelijk. En zijn daar nog trots op ook. Hun te grote eigendunk en het gevoel 'recht te hebben' op ongeveer alles (mooie spullen, kleding, snoep, begrip, leuk onderwijs) leiden tot onverstandig gedrag. Met als resultaat: overgewicht, hersenschade door het comazuipen, spijbelen, schulden, agressie en vandalisme. Het onderzoeksbureau noemt de jongeren tot 24 jaar 'de grenzeloze generatie'.

Nou, ik verwijt Motivaction dan weer een grenzeloze sensatiezucht. Nog even en ze noemen de jeugd een 'waardeloze generatie'. In hun conclusie komen vooral de negatieve aspecten, flink aangedikt, naar voren. Neem bijvoorbeeld de stelling: 'Ik zet me actief in om mijn woonomgeving leefbaar te houden'. Van de ouderen (let op, vanaf 39 jaar ben je al oud bij Motivaction) zegt 65% hier 'ja' op, 48% van de middengroep (24-38 jaar) en 37% van de jongeren. Dat was in de jaren hiervoor óók zo. Zou je de voorpagina's halen met het nieuws dat Nederlanders precies even betrokken zijn bij hun leefomgeving als voorheen? Nee, dus over dit punt hoor je niks. Ook is onderzocht of we hogerop willen komen in de maatschappij. Slechts 43% van die luie veertig-plussers zegt hier ja op. De middengroep is ambiteuzer: 55% van hen bevestigt de stelling. Een ruime meerderheid van de grenzeloze jongeren wil hogerop: wel 61%. Voorheen wilde 75% van de jongeren hogerop. Zijn ze nu lui geworden, of juist heel Genoeg-achtig verstandig?

Volgens Benjamin Disraeli zijn er drie soorten leugens: leugens, grove leugens en statistieken. Het gaat niet alleen om de interpretatie van de uitkomsten, ik stoor me vaak al aan de vragen van onderzoekers. 'Ik voel me gelukkig als ik geld kan uitgeven', bevestigt 51% van de jongeren. 'Waaráán!?' Wil ik dan weten. Aan goede boeken, je studie, je hobby, sport of passie, aan goede doelen? Dat vragen ze dan weer niet, dus zegt het hele antwoord mij niets. Klagen over de jeugd, dat is van alle tijden. Plato deed het ongeveer 2400 jaar geleden al. Toen wij zelf jong waren, waren wij langharig werkschuw tuig. Dat 'langharig' klopte wel, maar dat werkschuw zeker niet. Er was gewoon een enorme werkloosheid begin jaren tachtig. Daarom werden we ook wel de *lost generation* genoemd. De voorspellingen over hoe slecht het met ons zou aflopen zijn bepaald niet uitgekomen. Ook de generatie-nix, de televisie-, patat- en achterbankgeneraties helpen nu dapper mee de maatschappij draaiende te houden. De beschuldigingen van Motivaction gaan wel ver. Je doet de jongeren geen recht en ouders krijgen voor de zoveelste keer om hun oren dat ze het fout doen. Ouders doen juist meer hun best dan ooit. Ze worden alleen onzeker gemaakt door al die boude uitspraken.

Onze drie zonen zouden alle drie in het hokje 'grenzeloos' vallen. Wind ik me daarom zo op? Ik denk het. Want ik vind ze zo grenzeloos dapper aan die steeds ingewikkelder wereld beginnen. Ze zijn snel en slagvaardig, maken hun eigen afwegingen. Ik vind ze stoer en attent, leuk met hun meisje en zelfs lief voor hun oma's. Alleen de jongste vertoonde tot een paar jaar terug nog wel eens onattent gedrag. Rollende ogen als je vraagt de hond uit te laten. Maar als je geërgerd een tweede oproep doet zeggen: ‘Die toon bevalt mij niet jongedame!’ Ik ben het zoals zo vaak met hem eens. Die toon bevalt mij niet, studiekamergeleerden van Motivaction. Ik hou van de jeugd van tegenwoordig!

Nawoord

Tijdens een economische crisis merk je pas goed hoe verschillend 'deskundigen' en 'gewone mensen' over geldzaken denken. Economen roepen moord en brand. De economie krimpt! De koopkracht daalt! De gewone mens merkt eigenlijk niet zoveel, behalve als werkeloosheid hem of haar treft. Mensen worden wel bang, vanwege de afkalvende sociale zekerheid, minder kans op werk, dalende huizenprijzen, lagere uitkeringen inclusief AOW en pensioen. Hun reactie is heel verstandig: ze houden de hand op de knip. Ze stellen grote uitgaven uit, de verkoop van auto's keldert. Dan komen de economen weer een duit in het zakje doen. We moeten meer vertrouwen krijgen! We moeten meer uitgeven en meer auto's kopen! Anders komt de economie nooit uit het slop!

Bij de discussie over de arbeidsparticipatie van vrouwen zie je hetzelfde patroon. De Nederlandse vrouwen werken het minst van alle vrouwen in Europa. En ook een deel van de pappa's werkt partime. 'Hun talent verdampt! Ze zijn lui!' Of nee, 'het ontbreekt ze aan ambitie!' roepen politici in interviews. Koser Kaya (destijds Kamerlid) vond dat de hele maatschappij moet veranderen, en schoof Margaret Thatcher naar voren als lichtend voorbeeld. Ja hoor. De regering stuurde de Taskforce DeeltijdPlus, onder leiding van Pia Dijkstra op ons af, maar het goede nieuws is dat het niks hielp. Wat bestuurders, ministers, Kamerleden, economen en andere hotemetoten ook beweren en forceren: 74% van de Nederlanders lapt alle aansporingen aan de laars en richt het leven in naar eigen goeddunken. Als wij minder willen werken in de jaren met kleine kinderen, en minder willen besteden in tijden van crisis, dan doen wij dat.

Wij Nederlanders willen wel werken, maar houden nu eenmaal niet van overdrijven. Als twee ouders fulltime werken zijn ze handenvol geld kwijt aan representatieve kleding, kinderopvang, hulp in de huishouding, tweede auto, naschoolse opvang en kant-en-klaar eten. Wij kiezen kennelijk vaak voor een relaxter leven, voor het eigenhandig grootbrengen van onze eigen kinderen, voor het op de fiets uit school halen van onze bloedjes, voor het bakken van pepernoten en dan maar wat minder geld. Dat is de ware rijkdom, en ware vrijheid: dat je lekker zelf die keuzes maakt. Het doet me denken aan *Vijftien Miljoen Mensen.* Het liedje dat Fluitsma & Van Tijn (al weer bijna 20 jaar geleden) voor een reclamespotje maakten, en dat zo aansloeg dat het een nummer-1 hit werd. 'Land wars van betutteling. Geen uniform is heilig. Een zoon die noemt z'n vader Piet. Een fiets staat nergens veilig... 15 miljoen mensen, op dat hele kleine stukje aarde. Die moeten niet 't keurslijf in. Die laat je in hun waarde.'

Dat is precies wat ik elke ouder toewens. Door ervoor te zorgen dat je met minder geld toe kunt, komt er meer ruimte voor eigen keuzes. Veel geluk!

Marieke Henselmans

De auteur

Marieke Henselmans, bespaarkoningin, inspirator, journalist en moeder van drie zonen. Ze debuteerde in 1999 met *Consuminderen met kinderen*. Ze oogstte veel lof bij recensenten en stal het hart van een steeds groter wordende groep lezers.

Marieke Henselmans is dé bespaardeskundige van Nederland, vaste medewerker van het tijdschrift *Genoeg* en geliefd AD columnist. Ze werkt samen met het Nibud en heeft tal van boeken en kalenders over besparen, aflossen en opvoeden op haar naam staan, waarvan er bij elkaar meer dan 100.000 werden verkocht.

Update

Toen de eerste druk van *Consuminderen met kinderen* uitkwam, zaten mijn jongens nog op de basisschool. Op lezingen vragen mensen vaak: 'Hoe is het nu met ze?' Hoe kijken ze terug op hun kindertijd?' Ze vertellen daarover in dit boek. Tot slot een laatste update:

Precies genoeg

Joep (1986, stuurman): 'Hoewel we misschien 'zuinig' zijn opgevoed, is er niet bezuinigd op dingen die belangrijk voor ons waren. Dus zodra duidelijk werd dat skaten dé sport was, werden de tweedehands skates vervangen door steeds betere en ook steeds duurdere. Door goed bij te houden wat mijn inkomsten zijn en vooruit te kijken naar te verwachten uitgaven maak ik alle belangrijke dingen mogelijk, of het nou gaat om nieuwe skates, een digitale spiegelreflexcamera of het huis dat ik op m'n 23ste heb gekocht. Door goede planning heb ik nooit het gevoel te weinig geld te hebben, maar heb ik altijd precies genoeg.'

Geld over

Daan (1989, taalkundige): 'De meeste mooie dingen in het leven kosten eigenlijk nauwelijks geld. Ik kan erg genieten van toneel- en pianospelen, oude boeken, koken, en backpacken in andere landen. Door de constante bespaarlust van mijn moeder hoefden mijn ouders minder te werken. Ze konden daardoor meer tijd met ons doorbrengen, en hielden geld over om een dure studie voor me te betalen. Leren om minder geld nodig te hebben zorgt er alleen maar voor dat je een stuk makkelijker kan genieten van de rest van het leven.'

Geen zorgen

Gijs (1991, illustrator): 'Ik heb vrijwel geen nadelen gemerkt van mijn moeders levensstijl. Behalve dat ik als kind van 7 jaloers was op vriendjes die meer snoep, chips en frisdrank in huis hadden. Ik heb meer voordelen gemerkt: mijn hele leven heb ik me niet hoeven druk maken om geld. Niet dat ik het over de balk smijt. Maar als er een noodgeval was wist ik dat ze voor ons gespaard had. Ze beloofde onze rijlessen te betalen als we niet zouden roken en brommer rijden. Daar heeft ze zich aan gehouden bij ons alle drie.'

En Marieke?

Die is nog steeds graag met kinderen bezig, ze past tegenwoordig graag op een buurkindje.

Meer lezen van Marieke Henselmans

Vrolijk besparen

In het boek loopt de lezer mee in het 'vrolijk besparen huis'. Hij krijgt overzicht in geldzaken in de werkkamer, hij decoreert de woonkamer voordelig, hij gaat heerlijk én voordelig koken in de keuken, hij verdient wat extra's aan de spullen op zolder. Ook op het balkon en in de tuin valt genoeg te genieten én te besparen. Voor elke kamer in huis heeft Marieke inspirerende ideeën en handige methodes om op een leuke manier te besparen. Het boek is rijkelijk geïllustreerd met kleurrijke foto's en tekeningen.

Sta financieel sterk

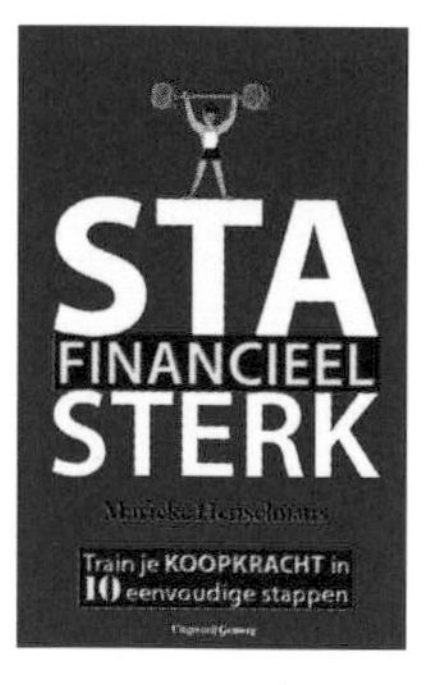

Minder inkomen nu, minder pensioen straks, minder zekerheden? De oplossing zit in onszelf: we moeten en kunnen sterker in onze schoenen staan, en onze koopkracht trainen. Het begrip koopkracht is eigenlijk heel mooi. Het is relatief. Het drukt uit wat jij kunt kópen met je geld. Volgens Marieke Henselmans gaat het erom wat jíj kunt kopen van je geld. Eerst kijk je naar je inkomsten, uitgaven, bezit en schulden - Dan hou je een minimummaand en gaat ervaren met hoe weinig je het redt - Je ontdekt hoe je lasten omlaag brengt, voordelig inkoopt en koopt en rekent uit hoeveel jij kunt besparen en sparen. En als je eenmaal financieel sterk staat geldt dat ook voor het mentale: je bent niet meer bang of onzeker, maar dapper, flexibel en creatief!

Eigenwijs je hypotheek aflossen

Ben je een dief van je eigen portemonnee als je voortijdig je hypotheek aflost? Welnee! Marieke Henselmans geeft je groot gelijk en helpt je op weg. In dit boek lees je niet alleen waarom aflossen slim is, of jij al moet beginnen en hoe je te werk gaat, maar ook waar je het geld vandaan haalt. Doodgewone Nederlanders die eerdere boeken en columns van Marieke lazen, doen hun verhaal. Toen zij met aflossen begonnen werden ze eigenwijs genoemd, en zelfs dom. Uiteindelijk trekken zij aan het langste eind. Allemaal zijn ze de bank te slim af en straks hebben ze het mooiste wat er is: een (deels) afgeloste hypotheek en geen geldzorgen meer.

Je kunt de boeken vinden in de boekwinkel, winkel.genoeg.nl en (desgewenst gesigneerd) op www.bespaarboeken.nl.

Ook verschenen in de Genoeg-reeks

ISBN 978 90 5877 567 2